Série Harmonie

LINDA SHAW
Captive
de la tendresse

Titre original : *Way Back Love* (n° 179)
© 1984 Linda Shaw
Originally published by Silhouette Books
division of Harlequin Enterprise Ltd.
Tous droits réservés.

Traduit et édité par les soins de Presses
de la Cité, 1985
© pour la traduction française

Les livres que votre cœur attend

Titre original : *The Sweet Rush Of April* (78)
© 1984, Linda Shaw
Originally published by Silhouette Books,
division of Harlequin Enterprises Ltd,
Toronto, Canada

Traduction française de : Arielle Nusbaum
© 1985, Édition J'ai Lu
27, rue Cassette, 75006 Paris

Chapitre 1

Le bombardement de l'ambassade des Etats-Unis à al-Qunay ne représentait jamais qu'une catastrophe de plus parmi les événements qui secouaient le pays.

Pour l'heure, toute l'aile ouest du bâtiment n'était plus qu'un tas de ruines fumantes. Depuis l'aube, des équipes de secours déblayaient les décombres. Après avoir traîné des poutres calcinées jusque sur les pelouses, des hommes au teint olivâtre déversaient maintenant dans un camion des pelletées de mortier et de briques qui, en retombant, résonnaient dans la cour de manière sinistre. Un épais nuage de plâtre troublait l'atmosphère déjà obscurcie par une colonne de fumée âcre et brûlante.

Absorbés par leur tâche, les sauveteurs ne prêtèrent même pas attention aux deux Land-Rover qui s'arrêtèrent dans un crissement de freins à chaque extrémité de la rue, pas plus qu'aux commandos d'hommes barbus qui en sortirent, mitraillette au poing.

Sarah Southerland, elle, était parfaitement consciente de tout ce qui se passait. Debout sous le porche de l'ambassade, elle contemplait ce spectacle de désolation, se protégeant les yeux du soleil d'été aveuglant. Qui lui aurait dit, trois ans plus tôt, qu'à cet instant elle se trouverait mêlée à de tels événements? Elle se serait plutôt imaginée mariée, mère de famille, cordon-bleu et femme d'intérieur accomplie, bref tout ce que les ligues féministes passent leur temps à décrier. Elle aurait été Mme Southerland. Mais non. Elle était divorcée... Toutes ces querelles avec Andrew et son comportement bizarre...

C'était de l'histoire ancienne et pourtant ses problèmes familiaux l'avaient amenée à s'expatrier ici. Hier les extrémistes avaient fait sauter la ligne de chemin de fer reliant al-Qunay à la Méditerranée. Ils avaient même coupé les liaisons téléphoniques internationales, isolant le pays du reste du monde et, pire, s'étaient emparés du palais, faisant prisonnier le président Nahrhim. Aujourd'hui personne n'oserait s'aventurer jusqu'à son bureau ou son usine. L'accès aux immenses gratte-ciel d'acier et de verre était probablement interdit et, dans les quartiers populaires, les rideaux de fer des échoppes devaient rester obstinément baissés. Par contre, les hôpitaux fonctionnaient sûrement...

Elle se retrouvait donc au cœur de toute cette effervescence, dans une situation qui frisait la catastrophe. A vingt-sept ans, que pouvait-elle bien savoir, elle, Sarah Southerland, jeune traductrice de Washington D.C., de l'attitude à adopter face à des terroristes?

Elle se tourna vers son homme de confiance qui se tenait à ses côtés et observait la scène à travers ses épaisses lunettes de myope.

— Quand donc ces mitrailleuses se tairont-elles?

— Les combats ne cesseront pas de sitôt, madame, répondit Bashir id-Nasaq dans un anglais chantant. On ne fait pas de révolution sans morts.

Il n'avait que vingt ans, mais il avait déjà connu des situations analogues.

Sarah ne put réprimer un frisson. Des cris hostiles aux Américains s'élevaient des rues qui bordaient l'ambassade.

Seule la grille de fer forgé qui entourait l'ambassade et délimitait le territoire américain s'opposait encore aux assauts de la foule surexcitée.

— A bas l'impérialisme américain !

— A bas le capitalisme !

— Que les Américains rentrent chez eux !

Les cris des étudiants agglutinés contre la grille glaçaient Sarah. On lisait dans leurs yeux sombres la haine fanatique de tout ce qu'elle représentait. Le poing symboliquement levé, ils entonnèrent un chant révolutionnaire mêlant l'arabe, le français, le turc et l'anglais, langues qu'elle maîtrisait parfaitement en sa qualité d'attachée spéciale à l'ambassade d'Orban.

— Dehors, les Américains ! Dehors !

Malheureusement l'ambassadeur des Etats-Unis, Mr Strakes, ne risquait pas de rentrer dans son pays : il avait été tué et n'était pas le seul. Lors du bombardement, trois autres membres de l'ambassade, deux marines et le vice-consul, avaient également perdu la vie. Quatre civils avaient été hospitalisés et, à part elle, seuls trois Américains avaient été épargnés, tous des secrétaires.

Un homme descendit d'un des véhicules blindés. Aussitôt, on entendit claquer les portières des Mercedes et des BMW de la presse. Des ordres militaires retentirent dans toute la rue tandis que des commandos casqués lui frayaient un passage à travers la foule déchaînée qui l'acclamait. L'homme gravit les escaliers de l'ambassade d'un pas vif et décidé. C'était Ali Jassim, quarante ans, le plus redouté des révolutionnaires du monde.

— Seuls les Américains ont des pertes à déplorer suite au coup d'état d'hier.

Un correspondant faisait un reportage en direct en arabe tout en essayant désespérément de se maintenir à la hauteur du colonel.

— Au cours de la nuit, le colonel Ali Jassim a fait parvenir un message à l'O.N.U. dans lequel il déclare combien la mort des ressortissants américains constitue un accident tragique et regrettable. Il va immédiatement prendre des mesures pour que les citoyens américains soient rapatriés sains et saufs.

Le colonel Jassim portait sa tenue de combat. Sarah se crispa à la vue du treillis de toile grossière, des lourdes bottes poussiéreuses. Il tenait une cravache sous le bras droit et un étui de revolver lui sanglait la taille. Plus séduisant au naturel que sur les photographies, il avait des cheveux drus, d'un noir de jais et ses yeux de braise brillaient d'une intensité presque inquiétante. Son teint clair trahissait ses origines toscanes.

Instinctivement une pensée traversa l'esprit de Sarah : C'est le diable, se dit-elle en frissonnant. Il émanait de cet homme une telle impression de force, d'invincibilité !

Du haut des marches, se tournant vers la foule, Jassim leva les bras en signe de victoire. Conscient de tous les regards braqués sur lui et de la présence de la caméra, il se figea dans une pose altière, fidèle à l'image qu'il souhaitait se donner. Tout à coup la clameur de la foule s'apaisa et les équipes de secours cessèrent toute activité. Il se retourna vers Sarah, la forçant à lever les yeux vers lui malgré le soleil aveuglant.

— Bienvenue à l'ambassade des Etats-Unis, colonel Jassim, dit-elle d'un ton officiel. Je regrette sincèrement que nous soyons obligés de nous rencontrer dans des circonstances aussi tragiques.

— Vous êtes le chargé d'affaires, madame ? demanda-t-il dans un anglais châtié.

Son visage exprimait une profonde surprise.

— Son Excellence, M. Strakes, ayant succombé à l'attaque et le personnel de l'ambassade n'étant plus à même d'assurer ses fonctions je dirais que, par la force des choses, cette charge m'échoit légitimement. Je suis Sarah Southerland, l'attachée spéciale de son Excellence.

— Vous êtes traductrice ?

— Cela fait effectivement partie de mes fonctions.

— Et également secrétaire ?

— Je ne me définirais pas exactement ainsi, colonel. Plutôt comme un officier de liaison.

— Je vois...

En fait il ne pouvait comprendre. Il était difficile de lui expliquer que l'ambassadeur était un homme malade, diabétique au dernier degré, et qu'il n'était resté en poste que sous la pression du Président. Elle ne pouvait pas non plus dire que si elle occupait ce poste, c'était parce qu'elle parlait cinq langues et qu'elle était la fille du médecin personnel de l'ambassadeur. Comment aurait-elle pu lui dévoiler que, parfois, son état était si critique qu'elle était amenée à assumer toutes ses responsabilités d'ambassadeur à sa place ? Il lui arrivait même de lui faire ses piqûres... Une habitude qui lui restait de l'époque où elle vivait avec Andrew. Il était interne au moment de leur mariage... Andrew... Quand elle songeait à lui, son cœur se serrait. Ses disparitions soudaines... Ses retours... Cet homme au comportement si déconcertant qu'elle en arrivait à ne plus le connaître... Leur divorce... Sa nomination à al-Qunay... Voilà maintenant qu'elle se retrouvait tout d'un coup responsable des vies des ressortissants américains. Elle n'avait pas le droit à l'erreur !

Le colonel Jassim fit impérieusement claquer sa cravache sur sa cuisse, ce qui la tira brusquement de sa rêverie.

Sarah sentit une goutte de sueur lui glisser le long du dos en voyant l'aide de camp du colonel prendre des notes sur son carnet, puis le ranger dans sa poche.

— La mort de vos compatriotes nous met dans une situation des plus délicates, dit-il.

Il tourna alors légèrement la tête vers la foule de façon à être entendu de tous. On entendait crépiter les flashes et ronronner les caméras.

— Je ferai tout ce qui est en mon pouvoir pour assurer votre rapatriement aux Etats-Unis dans les délais les plus brefs, poursuivit-il d'une voix suave. Vous me remettrez les passeports des membres du personnel qui ont été blessés et j'organiserai un transport spécial afin de... euh, faciliter les choses. Je veillerai personnellement à ce que ce rapatriement s'effectue dans les meilleures conditions et sans incident.

Sans incident ! Alors que le corps de l'ambassadeur reposait à la morgue !

— Et quelles mesures comptez-vous prendre concernant les membres de la communauté américaine travaillant à Orban ? demanda-t-elle. Certains voudront immédiatement rentrer aux Etats-Unis.

Changeant d'attitude, il répondit en pesant ses mots.

— Il s'agit là d'un problème plus délicat, madame. L'économie du pays dépend en grande partie des investissements américains.

Sarah eut toutes les peines du monde à dissimuler son étonnement.

— Entendez-vous par là que les Américains ne peuvent pas quitter le pays ?

— L'équilibre économique de ce pays est extrêmement fragile, nous ne voulons pas le compromettre ; nous désirons éviter un bouleversement trop brutal, je pense que vous me comprenez...

— Mais enfin, vous voyez bien que votre propre peuple hurle sa volonté de nous voir partir.

— Mais vous, je vous laisse libre de décider de votre départ.

La question n'était pas là et il le savait parfaitement.

— Colonel, je ne peux accepter vos conditions. Cela signifierait qu'en attendant la nomination d'un nouvel ambassadeur, nos ressortissants seraient privés de tout recours et de toute protection diplomatique. C'est impensable !

— Naturellement, je créerai une commission pour remédier à cette situation.

Elle imaginait sans peine le comité !

— Ce n'est pas tout à fait ainsi que je vois les choses.

— Vraiment ?

— Et je doute fort que notre ministère des Affaires étrangères approuve vos initiatives.

Un instant, leurs volontés s'affrontèrent. Du haut de son mètre soixante, Sarah le défiait, s'efforçant de garder le maintien le plus digne possible. Ses cheveux blonds et vaporeux lui collaient aux tempes. Si le soleil faisait ressortir l'éclat de ses yeux verts, sa tenue sage, ses chaussures plates reflétaient-elles ses désillusions ?...

Le regard du colonel s'arrêta sur le collier de perles qu'Andrew lui avait offert le jour de leur mariage, effleura ses mains, vierges de toute alliance. Elle avait le sentiment qu'à la voir si réservée, il en déduisait un manque de caractère.

Elle se revoyait, juste après le bombardement, dans le bureau dévasté, soutenant le corps sans vie de l'ambassadeur. On pouvait la taxer de timidité, de générosité, de naïveté, voire de crédulité, mais certainement pas de faiblesse.

Un sursaut de colère la secoua tout entière. Elle rejeta la tête en arrière d'un air de défi et fit face. Ses yeux rivés à ceux de Jassim semblaient dire : « Allez-y ! Condamnez-moi ! Déclarez-moi ennemie du peuple, jetez-moi en prison ! Jamais je ne cautionnerai votre coup d'Etat sanglant ! »

L'espace d'un instant, Jassim parut déconcerté. Il lisait la peur dans ses yeux clairs mais, au-delà de cette peur, il décelait un rien de mystérieux et d'irréductible qu'on nomme le courage.

— Des menaces, madame ? lança-t-il d'un ton sarcastique. Est-ce cela que je dois lire dans vos yeux ? La menace de représailles américaines ?

— Ce type de décision n'est pas de mon ressort. Comme vous le savez, le corps de l'ambassadeur...

— Nous avons décidé de garder la dépouille mortelle.

Sarah sentait son cœur battre à tout rompre. Il ajouta :

— Nous garderons le corps tant que la situation entre nos deux pays n'aura pas été réglée.

— C'est inacceptable !

Jassim crispa les mâchoires.

— C'est pourtant la décision que j'ai prise !

— Dans ce cas, colonel, je dois faire une déclaration.

Plus morte que vive, elle affronta les caméras.

— Les Etats-Unis exigent la restitution immédiate du corps de leur ambassadeur ainsi que ceux des ressortissants américains tués lors du coup d'Etat. Nous exigeons également que les citoyens américains travaillant dans le pays soient libres de quitter al-Qunay immédiatement, s'ils le désirent.

Puis se tournant vers Jassim, elle lui dit :

— Je vous rappelle que nous ne sommes pas en guerre, colonel.

Le colonel Jassim ne répondit pas immédiatement. Il se demandait quelle serait la réaction du président des Etats-Unis s'il savait que le sort de sa politique étrangère dans ce secteur du Moyen-Orient était dans les mains d'une jeune femme de moins de trente ans.

— J'ai pris bonne note de vos exigences, dit-il enfin. Toute demande de sortie du territoire d'al-Qunay me sera soumise personnellement. Je vous laisse le soin de veiller sur place à ce que tout se passe sans incident.

— Moi ? Mais je...

— Oui, vous, Sarah Southerland, attachée spéciale auprès de l'ambassadeur des Etats-Unis à Orban, serez responsable de la bonne marche de cette opération.

Ce n'était pas ce qu'elle voulait. Elle n'était pas venue à Orban dans ce but. Cependant elle répondit d'un ton assuré :

— Je désirerais avoir un entretien avec le secrétaire d'Etat dès que les liaisons téléphoniques internationales seront rétablies.

— C'est entendu.

— Et je souhaite que l'homme de confiance de l'ambassadeur, Bashir id-Nasaq, soit autorisé à rester auprès de moi. Je veux également que nous puissions désigner nous-mêmes les hommes du service de sécurité qui assureront notre protection.

— Je comprends, répondit sèchement Jassim.

Il restait encore à Sarah à poser la question qui lui tenait le plus à cœur. Inclinant légèrement le buste à l'orientale, les mains jointes en un geste de prière courtoise, elle formula sa requête :

— Il faut que le corps de l'ambassadeur nous soit rendu ainsi que ceux de nos autres compatriotes.

Il y eut un temps de silence impalpable, un de ces instants fragiles qui par la suite vous paraissent presque irréels. Malgré la tension ambiante, malgré tous ces regards braqués sur eux, elle perçut une hésitation. La détermination qu'elle lisait jusqu'ici dans les yeux sombres de Jassim était sur le point de vaciller. Elle eut le sentiment qu'il la regardait tout à coup comme un homme regarde une femme dont il découvre le pouvoir de séduction.

Sa gorge se noua. Seigneur ! Mais ce ne fut qu'une impression fugitive. Jassim s'était déjà ressaisi.

— Je me vois dans l'obligation de refuser, dit-il froidement. Jusqu'à ce que nous ayons obtenu satisfaction...

— Mais...

— Je ne reviendrai pas sur ma décision.

Il lui lança un dernier regard pénétrant et prit congé dans un claquement de talons.

— Madame...

Ali Jassim descendit les marches et traversa l'esplanade à grandes enjambées. Les acclamations hystériques de la foule atteignirent leur paroxysme. Tandis que la presse opérait un repli stratégique, les étudiants survoltés commencèrent à jeter des pierres et des bouteilles vides par-dessus les grilles de l'ambassade.

Bashir remit les passeports du personnel de l'ambassade à l'aide de camp du colonel en le toisant d'un air dédaigneux. Celui-ci lui rendit son regard, claqua les talons et s'éloigna rapidement.

— Allons madame, rentrez maintenant. Vous risqueriez d'être blessée.

14

Sarah contempla les murs dévastés, les débris enchevêtrés. Ce qui avait été une ravissante construction n'offrait plus qu'un spectacle de désolation — à l'image de sa propre vie, ne put-elle s'empêcher de penser.

Elle suivit Bashir le long du magnifique hall de l'ambassade qui avait été épargné par le bombardement. Ici, au moins, rien n'avait changé : l'éclatante blancheur des murs, les lourds lustres de cristal, l'immense tapis... Même les somptueux bouquets de fleurs coupées la veille embaumaient toujours dans leurs vases d'argent. Oui, ce cadre familier lui donnait un sentiment de sécurité, sentiment bien dérisoire.

Bashir lui ouvrit la porte du cabinet de l'ambassadeur. Elle alla s'asseoir derrière le bureau et décrocha le téléphone.

— La ligne est toujours coupée, murmura-t-elle.

Bashir s'éclaircit la gorge, tandis qu'elle enfouissait son visage entre ses mains.

— Madame ?

Il attendait qu'elle lui donne des ordres. Avec son *kefiah* d'un blanc immaculé et son costume à l'européenne impeccable, il avait l'air d'un adolescent.

Elle lui adressa un petit sourire triste.

— Je vous assure que je vais très bien, affirmat-elle, d'ailleurs j'ai une foule de choses à régler. Prenez contact avec l'opérateur radio. Racontez-lui ce qui vient de se passer. Dites-lui de prévenir qui de droit. Les révolutionnaires détiennent le corps de l'ambassadeur et ils ont l'intention de s'en servir pour faire pression sur nous dans les négociations.

— Oui, madame.

Il s'inclina. Il était sur le point de sortir lorsque Sarah l'arrêta d'un signe.

— Etes-vous certain que l'on peut faire entièrement confiance à cet homme ?

Piqué au vif, Bashir rétorqua :

— L'ambassadeur avait une confiance absolue en lui.

Oui mais voilà, elle n'était pas l'ambassadeur. Découragée, elle soupira. Tout ce qu'elle savait des intrigues diplomatiques ne la rassurait en rien.

— Madame ? dit-il d'une voix hésitante, la main sur la poignée de la porte.

— Oui ?

— Ce qui vient d'arriver est bien pour notre pays. Notre peuple veut la démocratie. Et nous serons toujours prêts à nous battre pour notre liberté.

— Cela fait déjà vingt ans que vous vous battez, Bashir.

— Et nous nous battrons encore vingt ans s'il le faut.

Il se retira discrètement. Elle demeura quelques instants comme tassée sur elle-même, puis d'un pas traînant alla à la fenêtre et tira les lourds rideaux de brocart.

La foule se dispersait, le danger s'était momentanément éloigné. Des rayons de soleil apaisants inondèrent la pièce. L'ambassade allait peut-être connaître enfin quelques moments de trêve. Non qu'elle aspirât à l'inactivité... au contraire, elle avait tout fait pour la fuir depuis son divorce.

Elle écarta une mèche qui lui collait au front et se pencha sur son bureau personnel qui se trouvait près de la fenêtre. Non sans hésitation, elle ouvrit un des tiroirs de droite et en retira un paquet de lettres ficelées où s'étalait l'écriture illisible de son père. C'est avec nostalgie qu'elle en extirpa une enveloppe blanche, toute froissée à force d'avoir été tournée et retournée dans tous les sens.

16

A l'intérieur il y avait une photographie. Elle s'attarda rêveusement à en caresser les contours. L'instantané montrait un homme grand et mince, en jean et en tennis. Il avait un polo négligemment noué autour des épaules et portait une raquette sous le bras. Il se tenait sur les marches d'une immense demeure de style edwardien et souriait à l'objectif. Ses cheveux noirs ébouriffés par le vent accentuaient sa jeunesse. Ses traits n'étaient pas d'une régularité classique mais il émanait de son visage un charme particulier mariant intelligence et séduction.

La photo n'était pas assez grande pour qu'on puisse véritablement le détailler mais elle le connaissait si bien. Il avait eu le nez cassé à la suite d'un accident de ski nautique. De sa mère, il avait hérité ses yeux noisette, vifs et rieurs. La sensualité de sa bouche pleine, aux dents éclatantes, contrastait avec la ligne ferme de ses pommettes hautes.

— Oh, Andrew, soupira-t-elle, soudain oppressée par le poids de l'échec.

Elle pressa la photo contre son cœur et réprima un sourire. Elle avait toujours secrètement rêvé de pouvoir exhiber une impressionnante poitrine de star. Andrew la taquinait toujours lorsqu'elle déplorait de ne pas avoir un décolleté avantageux. Il lui assurait que c'était justement pour cette raison qu'il l'avait épousée.

En réalité, ils avaient cru qu'elle était enceinte. Lorsque, en larmes, elle le lui avait annoncé en s'accablant de reproches, il lui avait rétorqué qu'il était tout autant responsable.

— Nous autres étudiants en médecine, on se croit toujours si malins.

Finalement ses craintes ne s'étaient pas vérifiées, mais ils ne l'avaient su qu'une semaine après leur mariage. Même au plus fort de leur passion, elle avait toujours pensé qu'Andrew croyait au fond de lui qu'elle l'avait trompé volontairement. La mère d'Andrew, Mary, en était intimement persuadée. Elle ne le lui avait jamais pardonné.

Après la première fugue d'Andrew, si on pouvait appeler ainsi ce départ précipité, Mary aurait déclaré à un des frères de son mari :

— Certes, Andrew a toujours eu un caractère impulsif, mais on ne peut le taxer d'irresponsabilité. Jusqu'à son mariage, il ne s'est jamais montré cruel ou froid. Mais aujourd'hui, qui pourrait l'en blâmer ? Il s'est senti piégé, je le comprends, et il a réagi à sa façon.

On lui avait toujours clairement fait sentir qu'elle avait poussé Andrew au mariage et qu'elle était responsable de l'échec de leur union. Elle-même finissait par le croire.

D'un geste lent et désenchanté, Sarah remit la photo dans l'enveloppe qu'elle glissa sous les lettres et rangea le tout dans le tiroir.

Enfin... Elle était là... A cela, elle ne pouvait rien. Elle en était réduite à vivre au jour le jour. Et par une curieuse ironie du sort, elle se retrouvait aujourd'hui, gage fragile d'un équilibre plus fragile encore, contrainte d'endosser une responsabilité qu'elle n'avait pas choisie, d'affronter des problèmes qu'elle ne savait comment résoudre. Quant à Andrew, elle ignorait où il se trouvait. Au fond elle n'avait jamais su grand-chose de lui-même du temps où ils étaient mariés...

Elle n'eut pas le courage de regarder, à nouveau, par la fenêtre.

A neuf heures trente, jeudi soir, Andrew Southerland grimpait quatre à quatre l'escalier de son immeuble de Washington. Avant d'introduire la clef dans la serrure, il fit prestement glisser ses doigts le long du pêne. Il retrouva la fine aiguille qu'il y avait placée deux mois auparavant. Un subterfuge qui lui avait sauvé la vie plus d'une fois.

Il se releva en souplesse et prit une profonde inspiration. Inconsciemment, il baissa légèrement les épaules en franchissant le seuil. Une fois la porte refermée, il resta un moment sans bouger dans le noir, aux aguets.

Lentement, il alluma la lumière. Il ne jeta même pas un regard sur le salon, sommairement meublé d'un canapé-lit, d'une chaise et d'un poste de télévision portatif. Il n'y avait ni tableaux, ni livres, ni chaîne stéréo, ni photos, pas même une lampe ou une plante verte. Il aurait été bien en peine de répondre quel était le ton des murs si on le lui avait demandé.

Contrairement à son habitude, il n'eut même pas le réflexe d'allumer la télévision, manquant ainsi les flashes d'information spéciaux sur le coup d'Etat d'Orban qui interrompaient les programmes ce soir-là. Il jeta négligemment sa cravate sur la table d'où elle glissa avec un bruit soyeux, puis retira son blouson et ouvrit son col de chemise. Alors seulement il détacha l'étui du calibre 45 automatique qu'il portait sous l'aisselle. Après s'être étiré longuement, en faisant jouer ses muscles un à un, il poussa un profond soupir de lassitude et alla chercher la bouteille de whisky qu'il réservait pour de telles occasions.

Il n'aurait pas dû retourner dans leur grande maison vide, avant de rentrer chez lui ; il savait bien que le spectacle désolant de ces pièces sans vie qui semblaient le narguer, l'emplissait d'un désespoir sans bornes. Pourquoi ne l'avait-il pas déjà vendue ? Il aurait pu tout au moins la louer. Qu'est-ce qui l'en empêchait ? Le spectre de leur bonheur passé ? Les sentiments le perdraient toujours.

Il se versa une rasade de whisky et l'avala d'un trait. Cela lui brûla les entrailles, mais il se sentit mieux.

Peut-être que ce soir, il parviendrait à noyer dans l'alcool les tristes fantômes du passé.

Emportant la bouteille avec lui, il traversa l'appartement et éteignit les lumières sur son passage. Il appuya son visage mangé par la barbe contre le mur tant les battements de son cœur résonnaient douloureusement à ses oreilles. Avec un soupir, il se redressa et se dirigea vers l'unique chaise du salon. Lentement il s'y affala. Que n'aurait-il pas donné pour qu'elle soit encore là. Il garda les yeux grands ouverts dans le noir, puis se passa la main sur le front comme pour chasser toutes ses pensées et commença à s'enivrer consciencieusement.

La première fois que Sarah Humphries et Andrew Southerland s'étaient aperçus, c'était par une belle journée de la fin mars où soufflait un vent froid et vivifiant. Ils s'étaient rencontrés à la cafétéria du Mercy General Hospital où Andrew préparait son internat sous l'œil vigilant de sa mère. Mary Southerland dirigeait le service et, à ce titre, jouissait d'une grande renommée. Robert Humphries, le père de Sarah, était médecin.

Andrew pensa dès qu'il la vit qu'elle était la femme la plus captivante qu'il ait jamais rencontrée. Il avait toujours connu des victoires faciles avec les femmes ; il les aimait toutes et n'était jamais si heureux que lorsqu'il pouvait mener de front une demi-douzaine de flirts plaisants et sans conséquences.

Ce jour-là, Sarah avait croisé le regard d'Andrew qui l'observait avec intérêt. Il la trouvait très élégante dans ce manteau bordeaux avec le chapeau assorti qui ombrait son regard de mystère.

Elle s'arrêta au milieu d'une phrase quand elle sentit qu'il l'observait. Elle ébaucha alors un vague petit salut et, sans même lui accorder un sourire, se tourna vers son père.

La seconde fois qu'ils s'étaient rencontrés, Sarah était seule. Assis à une table au milieu d'un groupe d'internes qui parlaient haut et fort, Andrew se réjouit de la voir. Il sortait de la salle d'opération. Tout le monde était passablement excité. Ce jour-là, elle ne portait pas de chapeau. Ses cheveux mi-longs, rejetés en arrière, lui découvraient le visage. Elle était habillée tout en noir, d'un noir sévère qui lui donnait une allure très stricte. Il fut surpris quand elle le regarda droit dans les yeux. Il se demanda si elle le faisait par défi.

Lorsqu'elle le salua d'un petit air détaché, Andrew perdit contenance et posa son verre au beau milieu de son assiette de purée. Ils éclatèrent de rire.

Par la suite, il la chercha des yeux chaque fois qu'il venait déjeuner et fut déçu de ne pas la revoir. Il assaillit sa mère de questions sur le père de Sarah. Robert Humphries était un excellent chirurgien, lui apprit Mary. Il avait perdu sa femme dix ans plus tôt et travaillait à l'hôpital depuis lors. C'était un homme assez secret. Si sa mémoire était bonne, oui, il avait bien une fille. Très studieuse, elle voyageait beaucoup. Il lui semblait qu'elle faisait des études d'interprétariat. Robert paraissait très fier de sa fille.

— Mais pourquoi toutes ces questions ? lui demanda-t-elle.

Andrew ne cacha pas son intérêt pour la jeune femme.

Il se fit ensuite un devoir de se lier d'amitié avec le Dr Humphries. Son caractère réservé, son attitude quelque peu professorale, ses sourires rares, rendaient l'entreprise plutôt ardue. Celui-ci lui confirma que Sarah préparait son diplôme d'interprétariat et de politique étrangère. A vingt-trois ans, elle se montrait très brillante. Pour compléter ses connaissances, elle devait passer tout l'été en Europe.

Quand Sarah revint de voyage et apprit que son père et Andrew s'étaient vus assidûment tout l'été, elle commença sa propre enquête. Elle tenta de lui soutirer des bribes d'information sur Andrew. Puis elle invita à déjeuner l'infirmière-chef du service de son père et la questionna discrètement.

Celle-ci lui dit tout ce qu'elle savait sur Andrew en bien comme en mal : c'était une forte tête, toujours en conflit avec l'administration hospitalière et le champion des causes perdues. Il avait une réputation de redoutable séducteur et passait pour un danger public au volant.

Naturellement l'infirmière ne manqua pas de rapporter cette conversation à Robert. Y avait-il là une ébauche de romance ? Robert haussa les épaules. Qui pouvait le savoir ? Sarah n'avait parlé mariage qu'une seule fois, puis avait rapidement changé d'avis. Cette fois, il réserva son jugement.

Après toutes ces approches, il ne restait plus à Sarah et à Andrew qu'à se rencontrer en personne. Ce qui se produisit tout à fait par hasard chez Fox, alors qu'ils faisaient tous deux leurs achats de Noël. Andrew attendait l'ascenseur lorsque Sarah en sortit, les bras encombrés de paquets cadeaux multicolores.

Sous son manteau entrouvert, elle portait une robe de lainage à col roulé qui n'en laissait pas moins deviner ses formes sensuelles.

— Vous ! s'exclama-t-il.

— L'homme qui aime tant la purée ! répliqua-t-elle.

22

Ils se regardèrent en riant sans se rendre compte qu'ils bloquaient le passage.

— Hé, mademoiselle ! on peut passer ?

— Oh, excusez-moi ! dit-elle distraitement.

— Attendez, je vais vous aider.

Andrew lui prit les paquets des bras, tout heureux d'avoir un prétexte pour lui effleurer les mains.

— Merci. Quel heureux hasard !

— Oui, dit-il d'un air ravi. Quel heureux hasard !

Comme il l'invitait à prendre un café, elle s'empressa d'accepter. Il ne toucha pas à sa tasse, ce qui ne l'empêcha pas d'en commander une autre pour le simple plaisir de retenir Sarah plus longtemps. Il la dévorait des yeux et aurait pu passer toute la nuit à la regarder.

— Vous vous y prenez tôt pour vos achats de Noël, dit-il d'un ton rêveur.

— Je m'occupe aussi des emplettes de mon père.

— Voilà qui est gentil de votre part.

— Il est normal que j'aide mon père. Il est tellement occupé.

Il regarda la pile de paquets entassés à ses pieds.

— Et vous m'avez l'air efficace ! ajouta-t-il.

Elle lui adressa un sourire radieux.

— J'ai beaucoup de cousins et de cousines. L'année qui a suivi la mort de ma mère, mon père a essayé de se lancer tout seul dans ses achats de fin d'année. Ce fut une véritable catastrophe. Dès qu'il met un pied en dehors de l'hôpital, il est complètement perdu. J'habite avec lui, ajouta-t-elle un peu maladroitement.

— Je suis au courant.

— Ah oui ?

— Je sais aussi que vous avez passé l'été en Italie et que vous êtes traductrice-interprète.

— Vous m'impressionnez.

Elle sentit qu'Andrew pressait son genou contre le sien. Une légère rougeur colora ses joues mais elle ne s'écarta pas.

— On m'a dit également que vous avez vingt-trois ans, murmura-t-il, et qu'on vous a opérée des amygdales à dix-sept ans.

— A seize, rectifia-t-elle.

— Je sais même qu'enfant, vous vous êtes cassé le bras.

Elle regardait Andrew sans pouvoir détacher son regard de sa bouche sensuelle. Les minutes s'écoulaient dans une douce euphorie. Imperceptiblement, leurs visages se rapprochèrent tandis que leurs regards démentaient la banalité de leurs propos ; et Sarah ne pensait qu'au moment où il l'embrasserait.

— Que savez-vous encore de moi ? demanda-t-elle dans un souffle.

Il y eut un silence.

— Voyons, dit-il après un temps. Vous avez un jour menacé une secrétaire du ministère de l'Environnement de lui envoyer ses classeurs à la figure si elle ne vous laissait pas voir « le bonhomme ». Je crois que c'est l'expression que vous avez employée pour désigner la personne que vous vouliez voir.

A ces mots, elle éclata de rire.

— Je vois que vous avez beaucoup bavardé avec mon père.

— Je l'ai surtout écouté parler.

— Il adore raconter cette histoire, mais il en rajoute. En fait, je suis très exigeante envers moi-même, très consciencieuse, mais je manque terriblement de confiance en moi.

— Vous voyagez beaucoup. Ce n'est pas toujours facile. Le seul fait de se promener toute seule en ville peut présenter des dangers pour une jolie fille

24

comme vous. Les journaux relatent tous les jours des faits divers de ce genre.

— Si je voyage tant, c'est parce que c'est utile pour mon travail.

Elle eut un petit rire nerveux et rougit de plus belle.

— Et si je me promène seule, c'est que je n'ai pas encore trouvé l'homme de ma vie pour m'accompagner partout où je vais.

Prenant soudain conscience de ce qu'elle venait de dire, Sarah se tut brusquement et détourna la tête pour cacher son embarras. Elle joua avec un bouton de son manteau comme si ce contact la rassurait.

Sa confusion fut à son comble lorsqu'elle entendit la voix chaude et caressante d'Andrew lui demander :

— Que dois-je comprendre, mademoiselle Humphries ?

— Vous me croyez forte et ce n'est qu'une illusion...

Du bout des doigts, Andrew lui effleura la joue, juste à l'endroit où se creusait une fossette lorsqu'elle souriait. Au-delà de ce visage ravissant et de ce corps sensuel qui l'avaient tout d'abord attiré, il devinait une certaine innocence, une grande fraîcheur d'âme. Il aurait juré qu'elle attendait beaucoup de la vie, ce qui ne manquait pas de le toucher profondément. Mais il ne cherchait pas à comprendre. Il la désirait comme jamais il n'avait désiré aucune femme.

— Mon père m'a dit que toutes les infirmières sont amoureuses de vous, dit-elle.

Avec un petit rire amusé, il posa sa main sur la sienne.

— Ce n'est pas vrai.

— Et que votre mère a des projets pour vous.

— Quelques-uns, en effet, répondit-il en haussant machinalement les épaules.

— Mon père m'a aussi raconté que vous conduisez comme un fou et que chaque fois qu'il vous croise au volant, il craint pour sa vie.

Andrew fit une drôle de petite grimace.

— Je m'y attendais.

Brusquement, il coupa court à la conversation et regarda sa montre.

— Sarah, je suis désolé mais je dois vous quitter.

Elle se leva précipitamment et bafouilla sur un ton d'excuse :

— Oh ! Mais bien sûr, je n'aurais pas dû...

Il se leva à son tour.

— Je dois me rendre à la répétition de la cérémonie de mariage de mon frère. Je suis son témoin.

— Oh ! C'est merveilleux ! Félicitations, enfin... euh... je veux dire...

— Vous n'accepteriez pas...

Elle crut qu'elle allait défaillir.

— Je ne comprends pas.

Tout à coup, Andrew se sentit désarmé, gauche comme un adolescent. Emu, il prit sa main dans la sienne.

— Vous n'accepteriez pas de m'accompagner ?

— Oh, Andrew..., dit-elle d'une toute petite voix. Mais c'est une fête si intime... si familiale.

Andrew resserra l'étreinte de sa main. Il y a des moments dans la vie où on comprend très vite ce qui vous arrive. Il avait parfaitement conscience qu'il était en train de tomber irrémédiablement amoureux et n'avait aucune envie de lutter contre ce sentiment. Il se rapprocha d'elle et lui dit d'une voix vibrante d'émotion :

— C'est justement pour cela que je voudrais que vous veniez avec moi.

Dans un geste d'une infinie douceur, il la prit par les épaules.

— Je veux vous épouser, Sarah Humphries.

Sa déclaration pouvait sembler extravagante. Mais aux yeux de Sarah, tout ce qui touchait à Andrew était extravagant : son charme, sa fougue, son idéalisme. Elle, jusque-là si sage, si raisonnable, se sentait irrésistiblement attirée vers Andrew et comprit que rien ne pouvait s'opposer à leur amour.

— Je sais, répondit-elle à mi-voix.

La répétition de la cérémonie du mariage de Steve Southerland avait lieu à l'église Saint-Michel où, quarante ans plus tôt, les parents d'Andrew s'étaient juré fidélité éternelle, où leurs cinq fils avaient été baptisés, puis s'étaient mariés ou se marieraient. C'est aussi dans cette église que Mary Southerland s'était penchée pour la dernière fois sur le cercueil de son mari et lui avait solennellement promis de tout mettre en œuvre pour que leurs fils réussissent dans la vie.

Andrew trouvait naturel d'emmener Sarah dans ce lieu symbolique qui avait marqué les événements importants de sa jeunesse.

Lorsqu'ils arrivèrent devant l'église, Andrew coupa le contact et la regarda.

— Vous me paraissez bien nerveuse, lui dit-il d'un ton taquin.

Légèrement émue, Sarah contempla l'imposante et noble façade de l'édifice. Il y avait foule, des dizaines de voitures étaient garées tout autour.

— Il y a de quoi... Je viens de prendre une décision qui va changer le cours de ma vie.

Andrew l'attira contre lui. Il avait l'impression

de sentir les battements affolés de son cœur tandis qu'il plongeait son regard dans les admirables yeux verts de Sarah.

— Vous ne regrettez rien ?

— Tout est allé si vite entre nous...

— La vie est si courte, Sarah !

— J'ai un peu peur, mais je n'ai aucun regret.

Pudiquement elle baissa les yeux pour lui avouer :

— Cela fait des mois que je m'endors tous les soirs en pensant à vous, que je rêve de vous, et qu'au réveil j'ai votre visage devant les yeux.

— M'aimez-vous, Sarah, m'aimez-vous vraiment ?

— Oui, Andrew, je vous aime !

Tout à l'heure, ils avaient échangé en riant un rapide baiser dans le froid avant de monter en voiture. Cette fois, Andrew prit impérieusement la bouche de Sarah en un baiser fougueux et leur étreinte se prolongea délicieusement, faisant naître en eux une sensation de bonheur inconnu. Instinctivement, Sarah se cambra contre Andrew et le caressa avidement. Soudain, sentant que leur passion leur faisait perdre la tête, elle se dégagea et se blottit dans le creux de son épaule.

— Je vous désire tant, lui murmura-t-il à l'oreille.

Ses mains, son corps tout entier, se firent plus pressants.

Une fois encore, leurs lèvres se joignirent, insatiables. A regret, ils s'écartèrent l'un de l'autre et restèrent quelques instants face à face, les yeux dans les yeux.

— Oh, mon amour...

Sarah ne dit rien. Elle éprouvait soudain une peur terrifiante. Celle de perdre les êtres qu'on aime.

Andrew la prit par la taille et ils entrèrent dans la salle paroissiale. Aussitôt un concert de voix s'éleva pour lui reprocher son retard.

— Mais où étiez-vous donc passé, Andrew ? Cela fait une demi-heure que nous vous attendons.

— Mère a failli avoir une attaque et l'évêque en est à sa dixième cigarette, s'exclama quelqu'un d'une belle voix de basse.

Une voix haut perchée s'éleva.

— La mariée est au bord de la crise de nerfs. Mon Dieu, où est-elle encore passée ?

— Toutes ces personnes font partie de votre famille ? lui demanda discrètement Sarah.

— La plupart, oui.

— Ils sont si nombreux...

Imperturbable, Andrew la débarrassa de son manteau.

— N'ayez crainte. Ils ont peut-être l'air d'une tribu de sauvages, mais ils n'ont encore jamais mangé personne.

J'espère qu'il ne va pas leur prendre la fantaisie de commencer aujourd'hui, pensa-t-elle, en se préparant à affronter courageusement le cercle de curieux qui l'entourait déjà. Derrière leurs sourires mondains, elle devinait combien elle les intriguait.

Toute la salle était décorée de blanc. Il y avait une profusion de fleurs ; des cascades de guirlandes égayaient les hautes voûtes ; les immenses buffets recouverts de nappes blanches croulaient sous les victuailles. Par petits groupes, les invités discutaient tout en mangeant des canapés, certains avaient une coupe à la main, d'autres fumaient. Les enfants, tout à leurs jeux, entraient et sortaient en riant aux éclats.

Le terme de tribu était tout à fait approprié, pensa-t-elle, à la famille d'Andrew qui lui apparaissait comme un clan replié sur lui-même, avec ses propres valeurs.

— Allons, Andrew, dites-moi comment faire bonne impression.

— Commencez donc par une révérence à ma mère.

Elle lui lança un regard noir, tandis qu'il la prenait par le cou.

— Je plaisantais. Cela dit, je peux éclairer un peu votre lanterne. Prenons Bruce, par exemple, ce grand brun là-bas, qui s'appuie sur une canne... Vous lui ferez plaisir si vous suggérez que son léger boitillement ajoute à son charme. Il est correspondant de guerre. Il a été blessé au Cambodge. Ted, ce grand gaillard qui ressemble à un boxeur, est courtier. Il adore qu'on lui parle de sa voiture de course, mais évitez d'aborder le sujet devant sa femme Dorothée. C'est leur pomme de discorde qui a failli, par deux fois, les conduire au divorce. Parmi les petits garnements que vous voyez là, plusieurs sont leurs enfants. Steve, le futur marié, est ingénieur. Je ne l'ai pas encore vu, mais de toute façon, il doit être dans un tel état d'énervement qu'il ne fera nullement attention à nous.

Sarah se concentrait pour retenir tout ce qu'Andrew lui disait.

— Et Peter ? demanda-t-elle.

— Il est comédien, il fait des spots publicitaires. Il sera ravi que vous fassiez la révérence à mère.

Elevant la voix, Andrew demanda à Peter :

— Peter ? Où est mère ?

— Elle est en train de discuter avec l'évêque.

Peter s'approcha d'eux de sa démarche souple de mannequin, un sourire aux lèvres.

— L'évêque et mère ont déjà passé deux fois en

revue le déroulement de la cérémonie. Si tu n'étais pas arrivé, l'un d'eux aurait certainement eu une syncope... Alors, que deviens-tu ?

Il détailla Sarah avec insistance.

Celle-ci rougit et sourit à son tour. Elle le trouvait sympathique et séduisant, comme nombre de femmes, vraisemblablement.

Parfaitement à son aise, Peter lui fit un baise-main.

— Je dois reconnaître que j'admire votre témérité. Il en faut pour oser affronter l'honorable et très snob clan des Southerland, mademoiselle...

— Humphries. Mais je vous en prie, appelez-moi Sarah.

— C'est un nom charmant. Il vous sied à ravir.

— Tiens, tiens, tiens... gronda une riche voix de basse dans le dos de Sarah.

Bruce Southerland était un de ces quadragénaires séduisants et charmeurs, grands princes, qui ont le don d'irriter les autres hommes dès qu'ils apparaissent quelque part.

Il s'avança vers Andrew en s'appuyant sur sa canne dorée.

— Où as-tu trouvé pareil trésor ?

L'intonation de sa voix trahissait un intérêt non dissimulé pour Sarah. Celle-ci se serra contre Andrew qui posa un léger baiser sur ses cheveux dorés.

— Ne faites pas attention à Bruce, répondit Andrew avec une pointe d'irritation. C'est un véritable coureur de jupons.

Ignorant sa remarque, Bruce s'adressa à son frère.

— Ecoute Andrew, ce n'est pas moi qui vais au-devant des ennuis. Mère est furieuse contre toi. Viens un instant, je voudrais te parler.

31

Haussant gaiement les épaules, Andrew le repoussa gentiment.

— Une minute. Il me faut d'abord apaiser les foudres maternelles. Veux-tu bien t'occuper de Sarah pendant ce temps ?

Bruce cependant revenait à la charge.

— Il est important que je te parle maintenant.

De par sa nature intuitive, Sarah comprit que Bruce avait ses raisons d'insister.

A cet instant précis, Mary Southerland fit son entrée, souveraine. A ses côtés se tenait une très jolie femme qui, en apercevant Sarah, s'arrêta net et lui lança un regard de défi.

A cinquante-neuf ans, Mary Southerland n'avait rien perdu de sa beauté ni de son allure. Sa silhouette était aussi mince et élancée qu'au jour de son mariage. Elle portait un ensemble de crêpe lilas, taillé tout spécialement pour elle par un grand couturier, dont les tons subtils rehaussaient délicatement son teint de porcelaine et ses cheveux argentés. Il émanait d'elle une impression contradictoire de fragilité et d'arrogance.

Mais Sarah se dit qu'avant tout le rayonnement de Mary venait de son éducation, du fait qu'elle était issue d'une longue lignée, forte de son pouvoir, de sa richesse, de son prestige et de ses valeurs morales, ce qui lui conférait un sens aigu de la bienséance et de la respectabilité.

Mary embrassa du regard les deux femmes, qui se faisaient face, puis, les yeux brillants de colère contenue, elle fixa Andrew comme s'il venait de commettre une trahison.

Bruce jura tout bas. Sarah, qui avait tout compris, croisa son regard désolé. Elle sentit Andrew se crisper et lui serrer brusquement la main.

— Bon sang ! Depuis quand Rosemary est-elle arrivée ?

Rosemary était issue d'une famille tout aussi prestigieuse que celle des Southerland, et Mary avait toujours eu des vues sur elle en pensant à Andrew. Personne ne s'attendait cependant à ce qu'elle assiste au mariage de Steve. Mais après tout, personne ne s'attendait non plus à la présence de Sarah.

— Pourquoi ne m'as-tu pas prévenu ? demanda-t-il à Bruce.

— J'ai bien essayé... Mère n'avait averti personne. Elle m'a demandé à la dernière minute d'aller la chercher à l'aéroport. Et, par-dessus le marché, tu es arrivé en retard...

Les conversations s'interrompirent brusquement.

La voix glacée de Mary rompit le silence.

— Eh bien, Andrew, je vois que tu t'es finalement décidé à nous honorer de ta présence.

Sarah comprit que ce qui irritait Mary n'était pas tant le retard d'Andrew que la présence d'une femme à ses côtés. Andrew, lui aussi, était parfaitement conscient de l'objet du ressentiment de sa mère. Mais, s'il était furieux, il n'en montra rien.

Il embrassa sa mère sur le front.

— Je l'avoue, mère, je suis impardonnable. Je mérite pour le moins d'être fouetté en place publique.

L'expression de Mary ne s'adoucit pas pour autant.

— Tu aurais au moins pu nous appeler pour nous... prévenir.

Sarah sentit la colère la gagner. De quel droit Mary traitait-elle Andrew de la sorte ? Il n'était tout de même plus un enfant.

— Je n'ai malheureusement pas pu le faire. Je vous prie tous de m'excuser de ce retard. Bonjour, Rosemary.

Il serra la main de Rosemary et l'embrassa sur la joue en souriant.

— Je suis ravi de vous revoir, chère amie... Eh bien, je crois que tout le monde se connaît ici, à part Sarah, bien entendu. Mère, je voudrais vous présenter Sarah Humphries, la fille du docteur Robert Humphries dont nous avons souvent parlé.

Le regard de Mary se posa sur Sarah.

— Je suis enchantée de faire votre connaissance, ma chère. Soyez la bienvenue parmi nous. Andrew, veux-tu bien m'accompagner à l'autel ?

Se retournant vers Sarah, il lut son désarroi. Il essaya de la rassurer du regard. Vous savez que je vous aime, semblait-il lui dire.

Sarah dut faire un effort pour sourire pendant les présentations. Une fois les banalités d'usage échangées, l'atmosphère se détendit. Rosemary fut entraînée par les belles-sœurs d'Andrew et Bruce prit Sarah sous son aile. Il se comportait en hôte parfait, l'entourant de mille attentions, un vrai gentleman. Il la soutint moralement sans jamais faire allusion à quoi que ce soit.

Sous les rires et la gaieté ambiante, elle sentait se former des courants de sympathie divergents. Mais, à la fin de la soirée, il était clair que la majeure partie de la famille l'avait adoptée.

Cependant son infaillible intuition féminine lui soufflait que Mary ne lui pardonnerait jamais.

Ce soir-là, tandis qu'Andrew la raccompagnait chez elle, Sarah avait versé des larmes amères dans ses bras. Il l'avait rassurée en lui disant que tout irait mieux une fois qu'ils seraient mariés. A l'époque il n'imaginait pas que son amour pour Sarah pourrait le dresser contre sa mère. Puis, séchant ses larmes de ses baisers passionnés, il l'avait portée dans ses bras jusqu'à sa chambre.

Il l'avait tenue longtemps serrée tout contre lui avant de la dévêtir. Quand enfin elle fut nue devant lui, exquise et désemparée, le visage tendu vers lui dans une expression de confiance absolue, il lui avait, à nouveau, déclaré son amour.

— Je veux passer toute ma vie à vos côtés, avait-elle murmuré en posant délicatement ses mains sur les hanches étroites d'Andrew.

Pour Andrew, la passion de Sarah, jointe à son inexpérience amoureuse, lui avait fait découvrir tout un univers de sensations nouvelles et bouleversantes. Le plaisir qu'elle avait éprouvé à explorer lentement le corps de son amant avait mis Andrew à la torture tout en exaltant ses sens. Sarah l'avait enveloppé d'un regard d'adoration éperdue, et s'était pelotonnée contre son dos viril, dès qu'il se fut dévêtu à son tour. Elle l'avait couvert de baisers brûlants, traçant un parcours imaginaire de sa nuque à sa taille; puis se laissant tomber à ses pieds, elle avait effleuré ses hanches de caresses en lui murmurant des mots d'amour. Ils s'étaient alors unis dans un même élan et avaient connu le bonheur du plaisir partagé. Jamais aucune femme ne l'avait aimé ainsi, avec autant de fougue et d'innocence.

Comme ils s'étaient aimés durant ces longs mois d'hiver ! Ils avaient vécu une passion dévorante qui les transportait dans un monde merveilleux, en marge du réel.

Puis vint le mariage. Quelques jours après, Sarah apprenait qu'elle n'était pas enceinte. Elle s'en était terriblement voulu et, depuis, s'était toujours sentie responsable du malentendu que cette situation avait provoqué. En y repensant, il comprenait que Mary ait pu en tenir rigueur à Sarah et l'accuser de l'échec de leur mariage. Mais Andrew savait bien, lui, qu'il était le seul à blâmer.

Oh, Sarah, Sarah mon amour, je n'ai rien oublié !... J'ai tant besoin de toi... Je t'aimerai toujours !

Chapitre 2

Quand le téléphone sonna à dix heures et quart,
Andrew flottait entre la conscience et le sommeil.
Dans un état second, il chercha l'appareil à tâtons.

— Oui ? Qu'est-ce que c'est ? dit-il d'une voix
endormie.

— Rendez-vous immédiatement au point A.

Pendant quelques secondes, Andrew ne put
répondre. Il se passa la main dans les cheveux,
essayant de retrouver ses esprits. La bouche
pâteuse, il répondit :

— Laissez-moi tranquille, Wesley !

— Il n'en est pas question.

— J'ai dit non, Wesley.

— Je vous rappelle qu'il était convenu qu'on ne
prononcerait jamais de noms au téléphone... Nous
aurons le temps de discuter tout à l'heure.

— Mais vous ne comprenez donc pas que j'en ai
par-dessus la tête ? Allez au diable !

— Rendez-vous immédiatement au point A.
C'est un ordre !

Wesley raccrocha. De rage, Andrew jeta le
combiné à terre. Debout dans la pièce hostile, il
passa mentalement en revue les événements qui
l'avaient amené à ce point de sa vie.

Tout avait commencé par sa rencontre avec
David Paris, mourant sur son lit d'hôpital, qui lui
avait donné un message à transmettre à Wesley

Durant. De fil en aiguille, celui-ci l'avait convaincu de rejoindre les rangs de la CIA. Puis ce fut l'engrenage : des missions courtes mais importantes qui exigeaient un nouveau visage, un caractère solide, bref un homme de sa trempe. C'est ainsi qu'il était parti au Viêt-nam, en Pologne, au Liban, en Israël et en Amérique latine.

Des milliers de fois, il avait voulu tout révéler à Sarah, mais Wesley l'en avait dissuadé. « Dans l'intérêt de Sarah », se plaisait-il à répéter.

Il haussa les épaules. Cela ne servait à rien de ressasser ces événements. Tous ces souvenirs ne faisaient que remuer le couteau dans la plaie. Il était onze heures quand il sortit de chez lui, douché et changé.

Wesley l'attendait à leur point de rendez-vous habituel, dans un jardin public, sur les berges de la rivière Potomac.

Andrew pesta intérieurement. S'il était venu jusque-là, c'est que les lieux clos rendaient Wesley nerveux. D'ailleurs bien des choses lui mettaient les nerfs à vif...

Wesley n'avait pourtant rien d'un ogre. C'était un homme plutôt agréable. Il avait toujours le sourire. Même quand il vous confiait une mission particulièrement périlleuse. On ne savait pas ce que Wesley avait derrière la tête et, à ce petit jeu, on était toujours perdant.

En le voyant approcher, Wesley écrasa sa cigarette et quitta le banc où il était assis.

— Vous êtes en retard, fit-il remarquer.

Les deux hommes se mirent à marcher le long de la berge.

— La paix, Wesley !

— Allons, allons, en voilà des façons de parler !

— Voyons, vous savez bien que, de nous deux,

c'est vous qui parlez toujours, Wesley. Moi je ne fais que vous écouter !

— Ce n'est pas vraiment l'impression que vous donnez.

— Alors, restons-en là.

— Je comprends très bien ce que vous ressentez, mon petit. C'est pourquoi j'ai choisi cette mission tout spécialement pour vous, répondit-il en souriant, d'un air paternaliste.

— Ne m'appelez pas mon petit, Wesley.

Wesley alluma négligemment une cigarette.

— Vous n'avez pas regardé les informations ce soir, par hasard ?

Andrew s'arrêta pile. Il aurait dû se méfier. La bonhomie de Wesley ne pouvait que cacher quelque chose. Il secoua la tête.

— La situation est au plus mal à Orban.

C'était donc cela !

— C'est si grave ?

— Jassim a pris le pouvoir, comme nous le redoutions.

— Elle est vivante ?

— Une minute, Andrew.

— Elle est vivante ?

Ne se rendant nullement compte qu'il criait, il attrapa Wesley par le col de sa veste. Il prit alors conscience de l'absurdité de son geste et le relâcha.

Celui-ci se réajusta et s'épousseta d'un geste méticuleux.

— Oui, Sarah est saine et sauve. Mais il y a eu des victimes. Nous savons de source sûre que l'ambassadeur, le vice-consul et des soldats sont morts. Nous pensons qu'il y en a d'autres, mais les communications avec Orban sont très perturbées. Ils refusent de restituer le corps de l'ambassadeur tant que certaines de leurs revendications n'aboutissent pas.

— Et le président Nahrhim? Toujours en vie?

— Nous avons toutes les raisons de le croire, mais la plupart des membres de son gouvernement ont été arrêtés.

Depuis que Sarah était en poste à al-Qunay, Andrew n'avait pas connu un seul instant de tranquillité, tant il s'inquiétait à son sujet. Le gouvernement de Nahrhim n'avait pas assis son autorité depuis suffisamment de temps pour permettre aux Américains de s'implanter de manière sérieuse. De toute façon la raison véritable de leur installation là-bas était d'ordre stratégique.

— Sur qui pouvons-nous compter sur place?

— Vos principaux contacts seront Marek et Salah.

— Le Président a fait une déclaration?

— Pas encore, mais ce ne saurait tarder. Au Pentagone, ils sont sur le pied de guerre. Le Président devra faire preuve de beaucoup de doigté.

Ils s'étaient remis à marcher. L'air nocturne était moite et étouffant. On voyait danser les lumières des petits bateaux qui descendaient le fleuve.

— Il faut que nous envoyions là-bas une nouvelle tête. Quelqu'un qui ne se fera pas repérer dès sa descente d'avion. Je pense que vous vous en tirerez bien, Andrew.

— On commence à me connaître, vous savez.

— Parmi ceux qui ont participé de près ou de loin au coup d'Etat, il n'y a personne qui puisse mettre un nom sur vous.

Andrew eut un petit sourire amer. Il avait pourtant juré qu'on ne l'y reprendrait plus.

— Une armée entière ne pourrait m'empêcher d'entrer à Orban. Vous le saviez parfaitement lorsque vous m'avez appelé tout à l'heure. Et vous misiez là-dessus en me choisissant pour cette mission.

— C'est exact. Nous savions que vous accepteriez.

Au fond de lui, Wesley avait de la sympathie pour Andrew Southerland. David Paris ne s'était pas trompé. Andrew était un instinctif. Il avait une mémoire visuelle quasi photographique et un goût prononcé du risque. Le jeune homme aimable et élégant était devenu un de leurs plus redoutables espions.

— Ce sera une mission simple, mais assez délicate, reprit-il. Il faut que vous examiniez de plus près les agissements des sociétés américaines.

— Quel genre d'entreprises ?

— Il existe six entreprises américaines à al-Qunay ; deux d'entre elles sont sous contrat avec le gouvernement local. Ali Jassim sait très bien que le succès de son coup d'Etat dépend en grande partie de l'attitude qu'elles adopteront. Il est de son intérêt qu'elles continuent de tourner. C'est pourquoi il a interdit aux investisseurs américains de quitter le pays. Il l'a fait poliment, en douceur, mais c'est parfaitement illégal.

— Il ne pourra pas imposer cette décision éternellement.

— Détrompez-vous. Il peut nous créer pas mal d'ennuis s'il excite la population en criant à l'exploitation américaine, ou s'il commence à jeter nos ressortissants en prison.

— Il n'est pas assez bête pour agir ainsi.

— On peut s'attendre à tout de la part de ces révolutionnaires.

— Est-ce que les Américains ont saigné le pays à blanc ?

— A vrai dire, nous ne sommes sûrs de rien. Si c'est le cas, nous prendrons les sanctions nécessaires. Mais nous voulons être les premiers informés afin de pouvoir étouffer l'affaire s'il le faut. Avant tout, nous ne voulons pas de vagues...

— Je m'en serais douté.

— Il faut tenir la presse à l'écart de cette histoire. Discrétion oblige.

Andrew ne put réprimer un sourire. Il avait l'habitude de ce mot dans la bouche de Wesley...

— Si j'accepte cette mission, il faut que les choses soient claires entre nous.

Wesley poussa un soupir.

— C'est la dernière fois que vous travaillez pour nous, n'est-ce pas ?

— Oui. Je veux démissionner. Vous pouvez m'arranger cela ? Je suis tout à fait sérieux.

Wesley savait qu'il était, en effet, inutile de contrer Andrew quand il était dans cet état d'esprit.

— Vous en avez fait bien plus que nous n'étions en droit d'exiger de vous.

Flatté malgré lui, Andrew abandonna le sujet.

— Comment comptez-vous agir vis-à-vis de l'ambassade ?

— Ce n'est pas notre affaire.

— Pardon, c'est la mienne !

— Le Président s'occupera personnellement de ce problème.

— Dites-moi, Wesley, à votre avis, comment réagirait-on si l'un des attachés venait à fausser compagnie à son ambassade ?

— Toute action qui ne menace pas la sécurité nationale ne nous regarde pas.

Andrew jeta un coup d'œil à sa montre.

— Dans ce cas, arrangez mon départ. Et prévenez Marek de mon arrivée.

Ils discutèrent encore quelques points de détail. Au moment de se quitter, Wesley lui rappela :

— N'oubliez pas, Andrew, que pour nous, vous

n'avez officiellement rien à voir avec l'ambassade. Nous n'en n'avons même jamais parlé...

— Entendu, c'est bien compris.

Au fond de lui, Andrew se disait que la mission qu'on lui avait confiée, plus celle qu'il s'était assignée : ramener Sarah saine et sauve, s'annonçait bien périlleuse.

Wesley Durant, quant à lui, voyait les choses sous un autre angle. Il était particulièrement satisfait d'avoir convaincu Andrew d'accepter. *Et tant mieux si cela me permet de lui faire une fleur par la même occasion. Qui a dit que la CIA était une machinerie inhumaine ?* pensait-il en s'éloignant, un petit sourire aux lèvres.

A quatre heures de l'après-midi, lorsque Bashir id-Nasaq déposa un plateau sur le bureau de Sarah, il lui fit remarquer d'un ton plein de sollicitude :

— Madame n'a encore rien mangé depuis ce matin.

Sarah s'étira sur son fauteuil en bâillant.

— Mais les choses ont bien avancé. Le colonel s'est montré très coopératif. Je souffre simplement de malnutrition et d'épuisement, dit-elle sur le ton de la plaisanterie.

Bashir, impassible, lui annonça qu'un certain Bruce Southerland l'attendait dans l'antichambre en compagnie de deux autres journalistes.

— Comment ? Bruce est ici ?

Bashir répéta patiemment.

— Il dit qu'il est le frère de votre mari. Il arrive des Etats-Unis. Il porte une canne.

A ce seul mot, Sarah s'affola. *Le frère d'Andrew ! Mon Dieu, il lui était sûrement arrivé quelque chose !*

En toute hâte, Sarah lissa sa jupe, arrangea ses cheveux et se précipita vers l'antichambre. Trois

Américains l'y attendaient : deux hommes et une femme. Ils portaient tous l'insigne des journalistes de la presse internationale.

De tous les Southerland, Bruce et Andrew étaient ceux qui se ressemblaient le plus. Bruce avait pris quelques kilos mais cela lui allait fort bien. Il portait toujours une canne, bien que Sarah devinât qu'il n'en avait plus vraiment besoin. Désormais cet accessoire faisait partie de son personnage.

Spontanément, elle se jeta dans ses bras.

— Oh, Bruce, Bruce ! s'écria-t-elle d'une voix enrouée par l'émotion.

Il la souleva de terre et l'embrassa tendrement. Il y avait des moments où il se demandait s'il n'était pas un peu amoureux d'elle, lui aussi.

— Dieu merci, vous êtes saine et sauve ! Nous étions tous si inquiets à votre sujet. J'ai parlé à votre père juste avant de partir.

— Il va bien ? On vient seulement de rétablir les liaisons téléphoniques. Je n'ai pas pu le joindre.

— Robert était certain que s'il vous était arrivé quelque chose, il l'aurait déjà appris. Il vous embrasse et vous demande de l'appeler dès que possible, car vous vous en doutez il se fait un sang d'encre à votre sujet.

Le regard brouillé de larmes contenues, elle demanda :

— Et Andrew ?

— Je l'ai vu il y a deux ou trois mois. Il va bien. Il n'a pas vraiment le moral et traîne sa tête des mauvais jours, mais à part cela, rien à signaler.

— C'est bien vrai ?

— Mais oui.

— Et Mary ?

— Mary à son habitude se porte comme un charme. Maintenant laissez-moi vous présenter à mes collègues.

Il fit cordialement les présentations.

— Alors, à quoi ressemble ce colonel Jassim ? Un croisement de Fidel Castro et de l'ayatollah Khomeiny ?

Sarah éclata de rire.

— Je dirais plutôt qu'il tient à la fois de Barbe Bleue et du Chevalier Noir réunis.

— Jassim et moi avons conclu une sorte de pacte : il ne me mettra pas de bâtons dans les roues si, de mon côté, je n'entrave pas ses projets.

Cynthia Hymes, reporter au *Time Magazine*, croisa les jambes. Dans son large pantalon à pinces, elle avait tout du mannequin new-yorkais, sophistiquée jusqu'au bout des ongles. On aurait dit qu'elle n'avait pas quitté son chemisier depuis plusieurs jours tant il était froissé. Ses cheveux courts, aux reflets platinés, étaient savamment ébouriffés.

— J'ai entendu un reporter expliquer que Jassim était la personnalité la plus marquante de cette dernière décennie. On disait probablement la même chose de Machiavel en son temps.

Sarah sourit. Cynthia cultivait décidément le style intellectuel new-yorkais.

Phillip Cook, lui, photographe indépendant, était un bel homme noir, extrêmement séduisant. Il portait un Leica et un Nikon en bandoulière.

— Toujours selon un reporter, j'ai ouï dire que les femmes le trouvaient littéralement irrésistible, dit-il avec un sourire éblouissant.

Cynthia se rebiffa.

— Inutile de préciser que c'est un homme qui a tenu ces propos. Mais dites-moi, madame Southerland, votre présence ici, alors que la plupart de vos compatriotes sont repartis aux Etats-Unis, pourrait faire croire que le colonel Jassim ne vous laisse pas tout à fait insensible ? Est-ce que je me trompe ?...

Ah, nous y voilà! pensa Sarah. Etouffant sa colère, elle fit appel à tout son sens diplomatique.

— Ne vous en déplaise, j'ai réussi à ne pas succomber à son charme, rétorqua-t-elle avant de s'adresser à Bruce.

— Vous n'avez pas eu trop de problèmes en arrivant ici?

— Non, Jassim était bien trop content de faire savoir que la mort de nos ressortissants n'était qu'un regrettable accident.

— Les victimes étaient peut-être accidentelles... pas la bombe!

— La ville nous a accueillis à bras ouverts, on nous a dit de faire comme chez nous, enfin... dans les limites du raisonnable, bien entendu. On nous a prévenus.

Cynthia éclata de rire.

— Evidemment, ce qui nous intéresse, nous, ce sont les limites du déraisonnable, dit-elle de sa voix rauque de fumeuse.

Une légère inquiétude envahit Sarah. Elle se dit que la presse pouvait devenir une arme redoutable pour qui sait la manipuler.

— Le patio est très agréable à cette heure de la journée, dit-elle en se levant dans un bruissement de soie et de lin. Laissez-moi donc jouer les ambassadrices et vous offrir des rafraîchissements.

Bashir, diligent comme à son habitude, était déjà à l'office en train de préparer une collation.

Le patio de l'ambassade était digne des contes des Mille et Une Nuits, avec ses arcs dentelés que soutenaient des colonnes de marbre blanc. Les galeries ombragées s'ouvraient sur un jardin luxuriant aux senteurs capiteuses.

Fasciné, Phillip se mit à le photographier sous tous les angles tandis que le reste de la compagnie s'installait sous les arcades. Bashir leur apporta un lourd plateau de boissons et de pâtisseries orientales.

— Eh bien, Bruce, vous parliez tout à l'heure de limites à ne pas dépasser. Qu'en est-il au juste ?

Bruce prit le verre qu'elle lui tendait.

— Je peux considérer que mes propos resteront entre nous ?

— Naturellement.

— Le Président est très inquiet. Il redoute un incident, comme en Iran. Je veux parler d'une prise d'otages.

— Malgré sa détermination farouche, Ali Jassim sait ce qu'il fait.

— Je vous rappelle que la plupart des membres du gouvernement destitué sont en prison.

— Je ne nie pas que la situation soit difficile, mais il n'y a eu ni exécutions arbitraires, ni purges, jusqu'à preuve du contraire.

— Pas encore.

Cynthia prit un air entendu.

— Des bruits courent aux U.S.A...

— Lesquels ?

— Il paraîtrait que certains investisseurs américains, de connivence avec Nahrhim, auraient saigné le pays à blanc.

— A votre place, je n'irais pas le crier sur les toits, répondit Sarah.

— Sarah, vous et moi savons parfaitement qu'à moins que l'opinion américaine ne découvre le pot aux roses la CIA essaiera d'étouffer l'affaire. Enfin, toujours est-il que nous sommes fermement décidés à faire la lumière sur toute cette histoire, ajouta Bruce.

— Quelle que soit la vérité, poursuivit Phillip Cook.

D'instinct, Sarah était sur ses gardes. Il ne fallait surtout pas qu'elle trahisse son inquiétude.

— Ce que vous avancez là pourrait être lourd de conséquences.

— Nos conseillers semblent penser qu'il ne serait pas mauvais de déclencher un mouvement de réaction. Les Etats-Unis n'ont pas peur d'assumer leurs responsabilités à la face du monde, vous voyez ce que je veux dire... Une façon comme une autre de laisser entendre à Jassim que nous ne voulons pas d'ennuis sans pour autant cautionner sa politique...

— J'aimerais bien rencontrer cet homme, dit Cynthia.

Son air rêveur permit à Sarah de prendre sa revanche.

— N'oubliez pas d'être prudente... dit-elle.

Tout le monde sourit et l'on changea de sujet. Sarah jouait son rôle d'hôtesse à merveille, mais intérieurement, mille pensées la préoccupaient. Evidemment, elle ne pouvait empêcher Bruce de faire son métier quelles qu'en soient les conséquences.

Elle écouta d'une oreille distraite les récriminations de tous concernant le climat, essayant de distraire son esprit de ces contingences immédiates. Son regard s'attarda sur les mains de Bruce. Elles ressemblaient tant à celles d'Andrew... Longues, fines, racées, mais puissantes aussi.

Des images resurgirent. Les mains d'Andrew qui lui glissaient son alliance au doigt, soulevaient son voile pour l'embrasser...

Elle se ressaisit alors et fixa son attention sur Bruce.

— Quand me laisserez-vous vous inviter à dîner ? lui demanda celui-ci.

Sarah raccompagnait ses visiteurs vers la sortie.

— Dès que possible, répondit-elle, mais ce n'est pas facile. La nuit, les coups de feu et les sirènes nous tiennent éveillés, quant au jour, je travaille sans relâche et j'ai des dizaines de gens à voir.

— Demain ?

Elle hésitait à répondre. La ressemblance entre Bruce et Andrew était si frappante... Elle craignait qu'une soirée entière en face de lui ne réveille trop de douloureux souvenirs.

— Nous verrons...

— Bruce... reprit Sarah, hésitante.

— Je comprends, dit-il d'un ton affectueux. Mais laissez-moi vous gâter un peu. Jusqu'à présent vous n'avez pas eu beaucoup de chance avec les Southerland, je ne voudrais pas que vous restiez sur une mauvaise impression.

La limousine attendait devant les grilles. Cynthia passa sa tête ébouriffée par la vitre.

— Dépêchez-vous, Bruce, sinon nous allons nous retrouver bloqués par le couvre-feu avant d'arriver à l'hôtel.

— Et moi, j'aimerais bien prendre un bain, renchérit Phillip.

A regret, Bruce prit congé de Sarah et lui arracha la promesse qu'elle dînerait avec lui le lendemain.

— Soyez prudent, lui cria-t-elle du perron.

Elle resta un instant à regarder la Mercedes noire démarrer péniblement. Elle agita la main en signe d'adieu tandis que la voiture disparaissait au bout de la rue.

Dire que je suis au bout du monde, Andrew, et que je ne peux toujours pas t'échapper, pensa-t-elle.

Deux heures plus tard, Sarah ressassait encore ses souvenirs en sortant de son bain. Ce soir, elle n'aurait même pas le temps de rentrer chez elle. Elle avait encore trop de papiers à faire pour l'évacuation des ressortissants américains, prévue pour le surlendemain. Très lasse, elle choisit dans son grand fourre-tout un ravissant ensemble de soie couleur pêche. Elle venait à peine d'enfiler des mules quand Bashir frappa à la porte.

Il portait un plateau en équilibre sur sa tête.

— Madame devrait rentrer chez elle. Elle ne dormira pas bien dans ce bureau, dit-il sur un ton désapprobateur.

Elle lui prit le plateau des mains et le posa sur son bureau.

— Le repas m'a l'air tout à fait délicieux. Vous devinez toujours ce dont j'ai envie.

— Vous devez tout manger, Madame. Vous allez avoir besoin de beaucoup d'énergie pour faire face aux ennuis que M. Bruce Southerland va causer.

— Je vois que vous avez écouté aux portes, dit-elle en levant un doigt accusateur.

— Les Américains parlent si fort, Madame, rétorqua-t-il sans ciller.

— Il y a des moments où je me demande si vous ne m'en avez pas appris plus sur la diplomatie que l'ambassadeur.

Bashir s'éclipsa discrètement sans répondre. Il souriait intérieurement. Depuis le tout premier jour où Sarah était arrivée à l'ambassade, avec un air un peu perdu, il s'était pris d'adoration pour elle. Lorsqu'elle quitterait Orban, sa vie serait brisée. Il en mourrait certainement de chagrin, se dit-il avec une sorte d'exaltation.

Sarah picora dans les plats, tout en préparant ses dossiers. Puis elle regarda le journal télévisé. Les premières images du coup d'Etat apparurent sur l'écran. Naturellement, les informations avaient été censurées. Elle but un verre de vin. Il était plus capiteux que le vin californien. Elle sentit alors une douce somnolence l'envahir.

Tout en jouant avec son verre, elle se remémora la première nuit qu'Andrew et elle avaient passée dans leur nouvelle maison. Elle n'était pas encore meublée et ils avaient traîné un matelas de fortune devant la cheminée. Ils avaient bu du vin puis s'étaient aimés là, devant le feu, avant de s'endormir dans les bras l'un de l'autre...

Sarah se réveilla en sursaut à son bureau. Combien de temps avait-elle pu dormir ? Elle se sentait courbatue et se leva péniblement pour aller éteindre la télévision.

La pièce était maintenant plongée dans l'obscurité, elle attendit quelques instants que ses yeux s'accommodent à la pénombre. C'est alors qu'elle vit l'homme.

— S'il vous plaît, madame Southerland, dit-il d'une voix étouffée par le chèche qui lui cachait le bas du visage. Ne criez pas, je ne vous veux aucun mal. Avancez au milieu de la pièce.

Sarah resta clouée sur place par la peur.

Il s'approcha d'elle. Il était très grand, vêtu d'une ample tunique de coton, d'un pantalon noir fatigué, mais sous ses vêtements informes on devinait une musculature impressionnante. Il était difficile de lui donner un âge et son visage aux yeux sombres, ses cheveux noirs et bouclés le faisaient ressembler aux passants anonymes qu'on croisait dans les rues d'Orban.

— Je... je n'ai pas l'intention de crier.

L'homme sourit.

— Je sais.

— Que... que me voulez-vous ?

— Vous devez me suivre.

Un frisson glacé lui parcourut l'échine.

— Mais... mais je ne peux pas.

Le sourire de l'homme s'évanouit.

— Allons, je vous conseille de ne pas faire d'histoires, madame Southerland.

Sarah essaya d'analyser la situation. Manifestement l'homme savait qui elle était, puisqu'il l'avait appelée par son nom.

Mais pourquoi ? Pourquoi s'en prendre à elle qui n'occupait qu'un poste provisoire d'intérim à l'ambassade ? Peut-être que le colonel Jassim voulait la rencontrer ailleurs qu'à l'ambassade. Oui. Ce devait être cela...

— Ecoutez, dit-elle, si le colonel veut me voir, pourquoi ne me le dites-vous pas ?

Du doigt, l'intrus lui désigna la porte donnant sur la cour.

— Suivez-moi.

— Donc, c'est bien le colonel. Il faudrait peut-être que je prévienne Bashir, hasarda-t-elle.

— N'insistez pas. J'ai dû l'enfermer dans sa chambre.

— Comment ?

Elle se ressaisit et lui dit d'un ton ferme :

— Je suis désolée, monsieur. Je n'irai nulle part.

— Je me dois d'insister.

Il fit mine de prendre son revolver.

— Vous pourriez au moins me laisser le temps de me changer, répliqua-t-elle, furieuse. Je ne suis pas en tenue pour sortir.

— Mettez vos chaussures, madame.

Elle enfila une paire de sandales et, s'efforçant de réprimer le tremblement de sa voix, demanda :

— Puis-je prendre mon sac ?

L'homme s'en saisit, le fouilla et le lui tendit en la poussant vers la porte.

Sarah pressa son sac contre sa poitrine et jeta un regard désespéré vers le téléphone. L'homme s'en aperçut. Il caressa négligemment la crosse de son revolver.

— Je n'ai que faire de vos menaces, explosa-t-elle. Cessez ce petit jeu avec moi.

Sans mot dire, elle le suivit. Ils sortirent de la cour par une petite porte à demi cachée par une floraison de volubilis.

Il était déjà difficile de se repérer dans al-Qunay en plein jour, mais de nuit, cela tenait de l'exploit. Une fois sorti des quartiers résidentiels, on pénétrait dans un véritable dédale de petites ruelles tortueuses, bordées d'un enchevêtrement de maisons basses, toutes semblables.

Sarah ne s'y était jamais aventurée seule, à plus forte raison à la nuit tombée. Elle n'avait jamais eu aussi peur de sa vie. Parfois une rafale de mitraillette crépitait dans la nuit. On entendait fuser de toutes parts des ordres militaires. Dans leur pénible progression, il leur fallait éviter les patrouilles qui quadrillaient la ville et les faisceaux des projecteurs.

La tête vide, elle ne pouvait que s'étonner d'être encore en vie. Elle ne songeait même pas à fuir. Cela aurait été du suicide.

Lorsque, au bout d'une heure, ils atteignirent enfin la sortie de la ville, il lui sembla qu'ils marchaient depuis une éternité. L'homme lui fit signe de s'arrêter. Ils se trouvaient devant un minable petit cinéma de quartier où l'on avait placardé des portraits d'Ali Jassim en travers des affiches.

— Ça va ? lui demanda-t-il.

Elle était à bout de forces autant que dévorée par l'angoisse. Ses pieds meurtris par les cailloux saignaient par endroits.

— Non, pas du tout, murmura-t-elle d'une voix exténuée et irritée tout à la fois. Je n'irai pas plus loin.

Il lui fit signe de se taire et l'entraîna vivement le long d'une petite allée sombre vers l'arrière du cinéma. Là, il s'arrêta devant une porte en bois ; il frappa deux coups secs et colla son oreille contre la serrure.

C'était la première occasion de fuite qui s'offrait à Sarah. Comme s'il avait lu dans ses pensées, il saisit brutalement son poignet qu'il serra comme dans un étau.

— Oubliez cela, dit-il sans même la regarder.

La porte grinça sur ses gonds rouillés et le cœur de Sarah battit à grands coups. Une voix d'homme, à l'intérieur, murmura des mots qu'elle ne put comprendre.

— Quand ? demanda son ravisseur.

Il ajouta quelques secondes plus tard :

— Trois heures ? D'accord, j'y serai.

Avec désarroi, Sarah comprit alors qu'on ne l'avait pas enlevée pour rencontrer le colonel Jassim. Mais contre toute attente, soudain son ravisseur lui sourit et, lui prenant la main, y posa un baiser.

Puis il la poussa sans ménagement à l'intérieur. La porte claqua derrière elle, avec un bruit sinistre.

Mon Dieu, se dit-elle, affolée. Est-ce la fin ? Vont-ils me tuer ?

Ses yeux scrutèrent les ténèbres. La peur la paralysait. Tout à coup un léger bruit dans son dos la fit sursauter. Le cœur battant à tout rompre, elle fit volte-face.

Sortant de l'ombre, il s'avança dans un rai de lumière qui filtrait à travers la porte. Il se campa devant elle. Son pantalon de treillis kaki était enfoncé dans de lourdes bottes à bouts ferrés, sa chemise plaquée par la sueur contre son torse était roulée haut sur ses biceps puissants. A sa ceinture, on voyait luire un pistolet. Ses cheveux noirs étaient striés de gris et une barbe drue lui mangeait le visage.

Leurs regards se croisèrent. Soudain tout se mit à tourner autour d'elle.

— Bonsoir, Sarah, fit-il d'une voix tendue.

Rêve et réalité se mêlaient. Elle avait l'impression de se débattre dans un long cauchemar.

— Andrew ?... demanda-t-elle.

Puis elle perdit connaissance.

Chapitre 3

Lorsque Sarah reprit peu à peu conscience, elle se crut comme autrefois avec Andrew dans leur maison. Andrew... Elle ouvrit grands les yeux. Mais oui, c'était bien les cheveux d'Andrew qu'elle sentait dans son cou ! Et la chaleur de son corps qui l'enveloppait ! Etait-ce possible ? Elle était couchée en travers du lit et il se tenait penché au-dessus d'elle.

— Oh... gémit-elle.

— Allons, ne t'agite pas. C'est moi, Andrew, dit-il en la soulevant dans ses bras.

Elle le repoussa faiblement.

— Je sais bien que c'est toi. Lâche-moi, Andrew ; lâche-moi.

Obéissant à ses injonctions, il la laissa. Sarah retomba lourdement sur le lit.

— Je ne suis pas sûr que tu puisses tenir sur tes jambes.

Elle se sentait encore très faible en effet. Elle regarda autour d'elle avec effarement.

La pièce tenait à la fois de la maison close, de la garçonnière un peu louche et de l'antre d'un photographe de charme. Le mur était tapissé de photos de femmes nues, elle remarqua une coiffeuse encombrée de bouteilles, de verres vides et, dans un vase, des plumes d'autruche. Par terre, traînait un narguilé. A cheval sur le paravent qui cachait le lit, pendaient des dessous féminins affriolants.

— Mais si, je peux me lever, insista-t-elle.

Au bout de quelques pas, prise de vertige, elle trébucha.

— Bon sang, Sarah ! Quel entêtement !

Il la porta sur le lit où elle s'affaissa comme un pantin. Petit à petit, elle se remettait du choc. Ils commencèrent à se lancer des regards furtifs, mi-hostiles, mi-complices, comme seuls peuvent en échanger d'anciens amants, chacun comparant l'autre à ses souvenirs.

Elle ne se rappelait pas qu'il était si grand et il lui semblait qu'il avait maigri. Ses traits avaient acquis une certaine dureté, une expression amère lui creusait le visage : un chat sauvage aux aguets, prêt à l'attaque. Enfin, ses yeux brillaient d'un éclat inquiétant qu'elle ne lui connaissait pas du temps de leur mariage.

— Je crois que tu me dois des explications, dit-elle, toujours sur ses gardes. On t'aurait reçu à l'ambassade, tu sais. Cela t'aurait évité d'avoir recours à ce procédé, ajouta-t-elle avec une grimace de dégoût.

— Cette pièce appartient au propriétaire du cinéma. C'est là qu'il amène ses conquêtes. Il me l'a louée pour une heure.

— Bien, maintenant, explique-moi ce que tu fais à Orban ?

— Que veux-tu, ce n'est pas toi qui viendrais me voir à Washington ! dit-il en plaisantant.

Sarah essayait de comprendre mais il manquait trop de pièces au puzzle.

— Tu pourrais commencer par me dire qui est la brute qui m'a traînée jusqu'ici.

— Il s'appelle Marek.

Elle se tut, attendant ses explications, mais rien

ne vint. Andrew attrapa une chaise et s'assit à califourchon.

— Alors ? demanda-t-elle.

Il éluda la question.

— Alors, comment vas-tu, Sarah ?

Elle se mordit la lèvre. Il n'avait vraiment pas changé depuis leur divorce. Il avait toujours le don d'éviter, par une pirouette, de répondre aux questions embarrassantes.

— Mais très bien !

Elle fit aussitôt mine de se lever.

— Où vas-tu ? Je pensais que nous pourrions bavarder un peu.

— Bavarder ? D'accord, Andrew, bavardons, dit-elle d'un air de défi. Et pour commencer, que diable viens-tu faire ici ? Pourquoi cette mise en scène ? Tu envoies cet individu me chercher... enfin... me kidnapper. Sais-tu que c'est illégal de nos jours ? Cela va même chercher loin !

Sarcastique, Andrew croisa les bras sur le dossier de sa chaise et se mit à caresser sa barbe.

— On ne t'a jamais dit que tu étais trop tendue, Sarah ?

— Pardon ?

— Il faudrait vraiment que tu apprennes à te décontracter un peu. C'est mauvais pour ta tension.

— Ma tension ?

Après un instant de perplexité, elle essaya de mettre de l'ordre dans ses pensées. Voyons... Bruce lui avait dit qu'il était venu à Orban enquêter sur les agissements des investisseurs américains dans le pays. N'était-ce point une curieuse coïncidence que son ex-mari fasse son apparition, ici, en pleine période de troubles ? Quelle ironie du sort si, sans le savoir, Bruce allait, en toute bonne foi, mettre son propre frère en danger...

Elle enfila ses chaussures.

— Bruce est arrivé aujourd'hui à al-Qunay...
Mais je suppose que naturellement tu es déjà au
courant ? dit-elle en guettant la réaction d'Andrew.

Celui-ci ne trahit aucune émotion.

— Bruce ? Qu'est-ce que ce bon vieux Bruce
fabrique dans les parages ? Il est venu faire un
reportage sur le héros du jour ?

— Ne le prends pas ainsi. Tu veux dire que tu
ignorais sa présence ici ?

Evitant son regard, Andrew lui répondit.

— Bruce et moi, nous ne nous voyons plus
beaucoup depuis quelque temps...

— D'après lui, il paraîtrait que certains Américains se sont bien rempli les poches à Orban ; le
coup d'Etat pourrait même leur rapporter encore
plus.

Andrew haussa les épaules.

— Ceux qui ont dénoncé ces pratiques ne
feraient pas tant de bruit si cet argent allait sur leur
propre compte en banque !

Comme elle avait été naïve de croire qu'il recon-
naîtrait facilement le bien-fondé de ces rumeurs.
C'était bien la preuve qu'il y avait quelque chose à
cacher. Tout à coup, elle se sentit très déprimée.

— C'était juste pour me raconter ces histoires
que tu as organisé toute cette mascarade ? Parce
que, dans ce cas, il faut maintenant que je retourne
à l'ambassade, dit-elle sèchement.

Pensif, Andrew la détailla plus attentivement.
Elle avait beaucoup changé... Elle avait acquis plus
d'assurance et une certaine agressivité, atténuée
par une réserve toute diplomatique... Mais ce qui le
frappait surtout, c'était cette sensualité qui l'avait
toujours fasciné chez Sarah. Or, elle s'était considé-
rablement épanouie, sans qu'elle semble en avoir
seulement conscience.

Et en la voyant là, devant lui, il ne pouvait

s'empêcher de l'imaginer nue, de rêver à ses seins ravissants, à sa taille si souple, à la courbe parfaite de ses hanches, à ce corps adorable qu'il avait tant aimé, tant désiré...

Il souffrait dans sa chair de la sentir inaccessible, aujourd'hui.

— Je suis désolé que Marek t'ait effrayée à ce point. Mais il fallait absolument que je te sorte de là.

— Me sortir d'où ?... Explique-toi !

— De ce pays, en fait ! Au cas où tu ne l'aurais pas remarqué, la situation ici est plutôt explosive... Mais je suppose que tu t'en es rendu compte par toi-même, n'est-ce pas, Sarah ? ajouta-t-il d'un ton cinglant.

Elle avait peine à croire à cette explication. Pourquoi s'inquiétait-il soudain de son sort après un si long silence ?

— Tu te moques de moi, Andrew !

De nouveau, elle fit mine de partir.

— Eh bien, ce ne serait pas la première fois, dit-il d'un ton déplaisant.

— Oh, Andrew ! Tu dépasses les bornes !

— ... Mais tu es toujours diablement séduisante, reprit-il insolemment en la déshabillant du regard.

Sarah chercha une réponse tout aussi insolente avant d'opter pour le silence. Elle se dirigea vers la porte et se retourna vers lui.

— Andrew, il y a longtemps que j'ai renoncé à essayer de te comprendre. Mais parce que nous nous sommes aimés autrefois, je préfère croire que tu as de bonnes raisons d'agir comme tu le fais. S'il n'est pas en mon pouvoir de te contrer, en revanche, je te demande de ne pas faire semblant de t'apitoyer sur mon sort. Je ne peux plus supporter les faux-semblants. Je te le jure, c'est au-dessus de mes forces.

60

Les larmes qu'elle s'était promis de ne plus jamais verser lui brûlaient les paupières.

— Oh... et puis, que le diable t'emporte !

Andrew sentait ses mains trembler. Jamais il n'aurait pensé que ce serait si difficile.

— Je suis parfaitement sérieux, dit-il d'un ton glacial. Je n'ai pas fait tout ce chemin pour rien, Sarah. Je suis venu pour te ramener aux U.S.A... Et nous sommes tous les deux très fatigués.

— Tu peux répéter ?

— Je vais t'emmener à Tel-Aviv et là je te mettrai dans le premier avion pour les Etats-Unis.

Sarah n'en croyait pas ses oreilles.

— Il n'est pas question que je quitte Orban. Je ne veux pas partir. Enfin... je ne le peux pas.

— Un camion nous attend dans les collines. Si nous nous pressons, nous aurons passé la frontière à l'aube.

— Mais tu ne m'écoutes même pas ! Je ne veux pas déserter l'ambassade, il ne reste plus que moi. Et je te répète que...

Andrew bondit de sa chaise et lui barra le passage. Il avait l'air plus déterminé que jamais.

— Oui mais voilà, ma chérie, je ne te demande pas ton avis.

Pourquoi fallait-il que leurs entretiens se terminent toujours de la même façon ? Elle en sortait meurtrie. Il n'y avait jamais aucune issue. Toute explication était vaine.

— Eh bien, tu as tort.

D'un air décidé, elle le bouscula pour atteindre la porte.

Rapide comme l'éclair, il cogna violemment du poing contre le mur, faisant tinter les bouteilles et les verres sur la coiffeuse.

— Non ! cria-t-elle, soudain prise de panique.

Il la regarda droit dans les yeux.

— Si tu franchis cette porte, Sarah, je te jure que tu le regretteras.

La tension entre eux atteignait son paroxysme.

— Enfin, Sarah, rester à l'ambassade, c'est comme marcher dans un champ de mines, en ce moment. Ne me dis pas que tu ne t'en rends pas compte ?

— Tu dramatises la situation. Tu crois vraiment que Jassim va faire aligner tous ses opposants contre un mur et les exécuter sans sommation ?

— Ce n'est pas impossible.

— L'as-tu déjà rencontré au moins ?

— Non, répondit-il.

Ses yeux lançaient des éclairs.

— Ce n'est pas du tout l'homme que tu imagines.

— Je vois qu'il t'a convaincue, en tout cas.

— Jassim se montre très prudent. Il a trop besoin des Américains pour ne pas les ménager.

— Et moi je te dis que tout ce qu'il va gagner dans cette histoire, c'est une guerre civile. Or il n'est pas question que tu sois encore dans les parages quand les balles commenceront à siffler de toutes parts.

— Et qu'adviendra-t-il des ressortissants américains si je quitte le pays ? Les Etats-Unis n'ont pas l'air très pressés de nommer un nouvel ambassadeur.

— Washington est en train de régler ce problème. Je doute fort que ta présence ici puisse changer la situation.

Décidément, il ne la prendrait jamais au sérieux. Sarah se sentait humiliée et son visage était rouge de colère.

— Quoi que tu en penses, je ne peux pas partir, figure-toi. Jassim ferait... J'ignore quelles mesures il prendrait, mais tout ce que je sais, c'est qu'il est de mon devoir de rester ici.

Au cours de la discussion, Sarah s'était rapprochée de lui. Brusquement, sans même réfléchir, submergé par un élan de tendresse, Andrew lui saisit le poignet. Il déposa un léger baiser sur ses paumes et enfouit son visage dans ses mains.

Sarah, stupéfaite, regardait avec émotion les boucles brunes presque enfantines qui ombraient sa nuque. Elle avait tant aimé les caresser.

Gagnée par la magie de l'instant, retrouvant l'innocence des premiers jours de leur amour, elle effleura son visage avec la légèreté d'une aile d'oiseau.

Andrew releva lentement la tête et riva, sans ciller, son regard au sien. Le temps s'était arrêté. Reprenant alors ses esprits, Sarah eut un mouvement de recul.

— Sarah...

— Tu ne peux pas comprendre, répliqua-t-elle.

— Tout ce que je sais c'est que le sang va couler.

— Je n'ai rien à craindre de Jassim.

A bout d'arguments, Andrew explosa.

— Tu ne t'imagines tout de même pas qu'un homme de la trempe du colonel Jassim va s'inquiéter du sort d'une petite attachée d'ambassade comme toi ou s'encombrer de quelconques scrupules !

— C'est vrai, pourquoi aurait-il plus de scrupules que mon mari ?

Cette vérité qu'elle lui lançait au visage le blessa au plus profond de son être. Il lui tourna le dos, mais quand il l'entendit ouvrir la porte, il la rattrapa d'un bond et referma l'étau de sa main sur son bras.

— Tu ne sortiras pas d'ici, dit-il sur un ton farouche.

Sarah se dégagea avec une violence inattendue. Jamais Andrew n'aurait pu imaginer qu'elle fût si forte. Elle parvint à ouvrir la porte, mais Andrew l'attrapa par la taille et il s'ensuivit une lutte acharnée qui avait quelque chose d'équivoque.

— Oh, et puis tout cela est trop bête à la fin ! dit Andrew en reprenant son souffle. Tout ce que je veux, c'est...

— Je sais...

Déjà, tout à l'heure, quand il l'avait touchée, un feu brûlant s'était réveillé en lui, et leur corps à corps furieux n'avait fait qu'exacerber sa fièvre. Cédant à une pulsion incontrôlée, il fit trébucher Sarah et ils roulèrent à terre. Au cours de leur lutte, la tunique de Sarah se releva, découvrant ses seins.

Aiguillonné par le désir, il la plaqua au sol et prit violemment sa bouche. Le regard méprisant qu'elle lui lança lui fit l'effet d'une douche glacée. Jurant tout bas, il relâcha son étreinte et se releva.

Sarah tremblait si fort qu'elle avait du mal à rajuster ses vêtements. Andrew ramassa son pistolet qui était tombé pendant leur empoignade et le remit à sa ceinture.

Il s'efforça de retrouver son calme.

— Tu as peur, dit-il enfin. C'est moi qui t'effraie ?

— Bien sûr que non, affirma-t-elle violemment.

Puis, plus sincère, elle ajouta d'une voix plus douce :

— Oui... non... enfin, je ne sais plus.

Elle le regarda avec appréhension. Il arborait une expression dure et indéchiffrable.

— J'ai peur du mal que tu peux me faire, avoua-t-elle. Je ne revivrais cela pour rien au monde, plus jamais...

Malgré cette trêve, un mur invisible les séparait toujours.

— Tu n'as aucune raison d'avoir peur.

Hésitant, il n'arrivait pas à trouver les mots qu'il fallait pour l'apaiser.

— Tu n'as rien à te reprocher, tu es innocente, reprit-il doucement.

Elle eut un petit rire amer.

— Je me suis toujours sentie coupable.

— Mais non, tu as toujours été parfaite.

— Tu m'as brisé le cœur.

— Et tu ne crois pas que je l'ai payé assez cher ?

Après un instant de malaise, Sarah remarqua :

— Je suppose que maintenant tu es heureux. Je veux dire, maintenant que...

Elle hésita à continuer.

— Non.

Le silence se fit plus pesant.

— Et toi ? Tu es heureuse ? reprit-il d'un ton embarrassé.

Elle secoua la tête.

— Non. Je ne crois pas.

Elle éclata en sanglots.

— Je n'ai jamais pu oublier... Pourtant, certaines femmes y parviennent très bien.

— Mais toi, on ne peut pas te comparer aux autres.

Sarah n'arrivait pas à deviner si cette constatation faisait plaisir ou non à Andrew. Pourquoi ne lui reprochait-il jamais rien ? Pourquoi ne l'accablait-il pas de critiques ? Au moins, elle aurait pu se défendre.

— Il fallait que nous divorcions. Je devenais folle...

Le souvenir de toutes les fois où il avait dû faire passer son devoir envers son pays avant son amour pour Sarah accabla soudain Andrew. Il repensa aux grands discours de Wesley sur le devoir, l'honneur de sa fonction. Quel devoir ? Quel honneur ?

— Un jour, il faudra que je te dise...

Les yeux pleins d'espoir, Sarah se tourna vers lui.

— Explique-toi, Andrew.

Déchiré par un conflit intérieur, il faillit avouer toute la vérité. Mais ce n'était pas le moment. Il fit un effort surhumain sur lui-même.

— Je...

Il ne put continuer. Il vit alors l'espoir s'évanouir dans les yeux clairs de Sarah. Il ne lui dirait rien et elle le savait.

Changeant soudain complètement de ton, il reprit, volontairement désinvolte :

— Oh, et puis ce n'est rien... je divague.

— Oui, dit-elle d'une voix blanche. Et il y a vraiment des moments où j'ai envie de te gifler.

— Eh bien, fais-le !

Il la provoquait en vain et le savait. Alors, mû par un élan de désespoir, il la prit par les épaules.

— En dépit de tout ce que tu peux croire, Sarah, il n'y a pas eu un jour où je ne me sois réveillé sans penser à toi, à ce qu'il était advenu de nous deux, pas un jour sans cette douleur sourde qui, sans répit, m'étreint le cœur. Oui, je reconnais mes torts. Mais maintenant, il faut penser au présent. Tu as probablement raison en ce qui concerne ton poste à l'ambassade. Peut-être pourrais-tu continuer à assurer tes fonctions sans mettre ta vie en danger. Mais il y a un risque. Et ce risque, je ne veux pas le courir. Je suis désolé.

Andrew scruta son visage, guettant la moindre expression susceptible de l'éclairer sur les sentiments de Sarah. Il voulait savoir si elle comprenait, s'il subsistait encore chez elle quelque chose de leur amour passé. Mais il ne lut rien dans ses yeux, pas même de la colère. Elle fixait le vide d'un air absent.

Il avait du mal à trouver ses mots. De nouveau, il

lui prit les épaules et la secoua légèrement. Passive, elle se laissa faire sans broncher.

— Bon sang, Sarah, s'il devait t'arriver quoi que ce soit... Essaie de comprendre...

Avec des gestes d'automate, elle se détacha de lui. Rien n'avait changé, pensait-elle. Il ne subsistait rien du tendre jeune homme qui lui avait pris le meilleur d'elle-même. Cet homme-là était mort pour elle.

Elle ramassa son sac.

— Je n'ai aucune chance de t'empêcher de faire ce que tu as décidé, n'est-ce pas ?

Le silence d'Andrew était explicite.

Sans se retourner, Sarah marcha vers la porte.

— Je ne crois pas que je te pardonnerai jamais, Andrew, dit-elle. En fait, j'en suis sûre.

Andrew se répétait qu'il ne fallait pas se laisser attendrir, qu'il avait une mission à accomplir.

— Comme tu voudras, répondit-il d'une voix atone.

Et il sortit derrière elle.

Lorsque Marek avait enlevé Sarah à l'ambassade, il avait fait deux erreurs de calcul. La première fut de croire que ce serait une bonne idée d'enfermer Bashir dans sa chambre. La deuxième, d'estimer que le frêle jeune homme, se voyant enfermé à clé, irait simplement se coucher en attendant qu'on vienne le délivrer le lendemain matin.

En fait, il ne fallut pas plus d'un quart d'heure à Bashir pour se glisser par une lucarne hors de son cabinet de toilette, et cinq autres minutes pour joindre l'aide de camp d'Ali Jassim au téléphone.

Il enrageait de s'être laissé berner de la sorte, de plus il était fou d'inquiétude pour Sarah. On mit longtemps à lui répondre.

— Qui ose appeler à une heure pareille ? vociféra, à l'autre bout du fil, le capitaine Nadal. Le colonel dort. Je ne peux pas le déranger.

— Il s'est produit un incident à l'ambassade, répondit Bashir en arabe, et il déclina son identité. Veuillez accepter mes plus humbles excuses, ajouta-t-il.

— Alors, venons-en aux faits !

— Je désire que vous transmettiez un message au colonel Jassim. Dites-lui que Mme Sarah Southerland, l'attachée d'ambassade, a été enlevée.

— Imbécile ! s'écria Nadal. Pourquoi ne pas l'avoir dit plus tôt ? Ne quittez pas, je vais chercher le colonel.

Bashir n'avait pas pensé qu'il parlerait au colonel en personne. Il attendit nerveusement en regardant au-dehors la belle nuit d'été étoilée. Une nuit tout à fait propice aux recherches. Un moment, il avait envisagé de partir seul à la recherche de Sarah mais, à la réflexion, il s'était dit que le colonel disposait de moyens plus efficaces. Puis il forma le vœu que les ravisseurs soient châtiés de façon exemplaire.

— Bashir id-Nasaq ?

La voix grave du colonel retentit à l'autre bout du fil.

— Oui, c'est moi.

— J'apprends que Mme Southerland a été enlevée à l'ambassade ? Vous êtes certain de ce que vous avancez ? Elle n'est pas tout simplement sortie sans vous prévenir ?

— Je me suis fait enfermer dans ma chambre par un inconnu. Quand j'ai réussi à me libérer, elle n'était plus dans son bureau.

— Décrivez-moi cet homme.

Bashir s'exécuta.

— Et vous n'avez aucune idée de l'endroit où il a pu l'emmener ?

— Aucune, colonel.

— J'ai appris que des journalistes américains, membres de la presse internationale, avaient été reçus à l'ambassade cet après-midi. Vous étiez présent, je suppose ?

— Oui, colonel.

— Ce Bruce Southerland, est-il de la famille de Mᵐᵉ Sarah Southerland ?

— C'est le frère de son mari. Enfin, de son ex-mari.

— Je vois... Avez-vous entendu ce qu'ils se sont dit ?

— Je n'écoute pas aux portes, colonel.

Jassim éclata d'un rire tonitruant.

— Allons donc, jeune homme, tout le monde le fait !... J'aimerais en savoir plus sur cet homme. La prochaine fois, écoutez bien ce qui se dit. J'espère que vous vous montrerez plus coopératif... Je m'en voudrais d'être contraint de vous faire subir un interrogatoire. Vous savez ce que c'est... on perd un temps fou avec toutes ces formalités.

Bashir ne le savait que trop. Mentalement, il traita Jassim de tous les noms.

— Je suis sûr que je n'entendrai pas grand-chose. Cependant comptez sur moi pour tendre l'oreille. Allez-vous rechercher Mᵐᵉ Southerland ?

— Cela ne vous regarde pas. Mais puisque vous tenez tant à le savoir, oui, nous la ramènerons. Notre nouveau régime a soif de justice. Il exige également un engagement total de notre peuple. Me suis-je bien fait comprendre ?

— On ne saurait être plus clair, colonel.

Après avoir raccroché, Bashir regagna sa chambre, qui était d'une austérité monacale, située dans une aile indépendante de l'ambassade. Il devinait aisément ce qui allait se passer. Dans un quart d'heure, la ville grouillerait d'hommes du colonel

Jassim à la recherche de Sarah Southerland. Il ne leur faudrait pas plus d'une demi-heure pour identifier son ravisseur et la retrouver. Les agents du colonel étaient d'une efficacité redoutable.

La chambre de Bashir se trouvait derrière les cuisines et donnait sur la cour. Les murs nus d'un blanc immaculé et le sol de marbre poli réfléchissaient le soleil. Le petit lit était recouvert d'un simple jeté de lit marron. Une tapisserie, accrochée sur le mur face à la fenêtre, constituait le seul élément de décoration de cette chambre dépouillée.

Cette tapisserie avait été brodée par sa mère. Elle retraçait l'histoire sanglante et mouvementée d'Orban. Sa mère n'avait jamais pu la terminer car elle avait été massacrée avec son mari et ses trois filles, lors d'incidents de frontière, dix ans plus tôt.

Il alluma une bougie posée sur sa table de chevet, prit un petit tapis de prière dans une niche aménagée à la tête de son lit, le déroula devant la tapisserie.

Bashir s'y agenouilla, et, se prosternant jusqu'à toucher le sol de son front, il pria avec ferveur afin qu'on ne touche pas à un seul cheveu de Sarah Southerland.

Chapitre 4

Sarah suivait péniblement Andrew à travers les rues d'al-Qunay. Tout en marchant, elle songeait que, malgré ses ressentiments, son amour pour lui n'était pas tout à fait mort. Pourtant, elle avait perdu toutes ses illusions et elle savait exactement pourquoi à cet instant elle le haïssait : Andrew pouvait vivre loin d'elle. Elle ne lui était pas indispensable.

Or, voilà qu'il resurgissait dans sa vie à un moment où elle se sentait particulièrement vulnérable. Son inquiétude à son sujet lui paraissait suspecte. Elle n'osait croire à l'intérêt qu'il lui portait si soudainement.

Et puis, elle n'en pouvait plus de fatigue, mais, par orgueil, elle refusait de prendre la main qu'il lui tendait pour la soutenir et l'aider dans sa pénible progression.

— Je suis tout à fait capable de monter ces escaliers toute seule, dit-elle d'un ton de politesse feinte, qu'elle voulait insultante.

Andrew s'arrêta à mi-hauteur, les poings sur les hanches. Elle avait parfaitement conscience du regard qu'il posait sur elle. Le vent plaquait sa légère tunique contre son corps et ses sandalettes trop légères lui tordaient les chevilles. Que pouvait-il bien penser ?

— Tu n'as vraiment rien d'autre à te mettre aux

pieds ? dit-il d'un ton railleur. Ces chaussures sont parfaitement inadaptées.

— Qu'est-ce que cela peut bien te faire ? répondit-elle sur un ton agressif.

— Tu pourrais faire meilleur usage de la pension que je t'alloue.

— Eh bien, justement, parlons-en ! J'aimerais bien que tu m'expliques pourquoi tu t'obstines à me verser une pension. Je n'en ai pas besoin, Andrew. Je suis indépendante maintenant.

Le tour que prenait leur conversation irritait profondément Andrew. Il soupira.

— Quoi qu'il en soit, à Tel-Aviv, je t'achèterai des espadrilles, ainsi que des vêtements, parce que dans une tenue pareille, tu risques fort de nous faire repérer.

Le ton montait entre eux.

— Andrew, je t'en prie !

Vexée, elle monta les escaliers quatre à quatre.

Al-Qunay était nichée au creux d'un cirque de collines. Dans les quartiers périphériques constitués d'un réseau très dense de ruelles, le couvre-feu était moins strictement respecté. A minuit, il y avait encore des gens dans les rues, mais au moindre bruit de bottes, tout le monde disparaissait.

Au grand étonnement de Sarah, Andrew se repérait parfaitement dans cet entrelacs de petites venelles sombres. Plus d'une fois, il s'arrêta net, les sens en alerte, percevant des bruits qu'elle ne discernait même pas. Il l'entraînait alors brusquement dans l'ombre protectrice d'un mur ou d'un porche.

Durant ces brefs instants, plaquée contre lui, elle sentait son souffle dans ses cheveux et devinait les battements de son cœur.

A un carrefour, Andrew étala une carte d'état-

72

major sur le sol, sortit une lampe de poche et montra à Sarah l'itinéraire qu'ils devaient suivre.

— C'est encore loin ? demanda-t-elle.

Tout en regardant la carte, elle eut un geste d'autrefois et s'appuya familièrement sur l'épaule d'Andrew. Le contact la surprit au point qu'elle s'écarta vivement, comme si une mouche l'avait piquée. Devinant son trouble, Andrew replia la carte, puis essaya de s'orienter.

Dieu, qu'il était beau ! Sarah souffrait d'être toujours aussi sensible à son magnétisme. Sa tenue de mercenaire soulignait sa virilité. Comme elle aurait aimé qu'il la serre dans ses bras et lui vole fougueusement un baiser ! Hélas ! ce romantisme n'était pas de mise.

Tout à ses pensées, elle se remit machinalement à marcher. Andrew la rattrapa, furieux.

— Où vas-tu ? Ce n'est pas par là. Tu es complètement dans les nuages !

Sarah rougit.

— Après tout, c'est toi qui connais le chemin. Vas-y, je te suis.

Ils marchèrent un bon moment sans s'adresser la parole.

— Ça va ? finit-il par lui demander, comme ils quittaient la ville.

— Bien sûr, pour qui me prends-tu ? Il m'arrive tous les jours...

Elle crut sentir une pointe de jalousie dans sa voix lorsqu'il lui répondit.

— Ah bon ? Cela t'arrive souvent d'être dans la rue en pleine nuit avec un inconnu ?

— Ce n'est pas le cas, il me semble.

— C'est ma foi vrai. Il n'y a pas grand-chose que j'ignore de toi, ni de tes charmes.

— Oh, arrête ! Tu crois que je n'ai pas remarqué ton attitude depuis une demi-heure ?

— Que veux-tu, je ne peux oublier que nous avons vécu ensemble. Il y a des habitudes qui sont difficiles à perdre...

— Ne remuons pas le passé... Tu sais, Andrew, je ne suis plus la femme que tu as connue.

— Vraiment ! Que veux-tu dire ?

Il essaya de capter son regard.

— J'ai appris à me moquer un peu de moi-même.

— Intéressant.

— Tu devrais essayer. Tu verras, c'est parfois utile.

— C'est ce que tu es en train de faire maintenant ? De l'auto-dérision ?

Elle lui tourna le dos. Décidé à forcer ses défenses, Andrew poursuivit :

— Que sont devenus ton sourire et tes élans, ma jolie Sarah ?

En même temps, il la prit par la taille. C'était plus qu'elle n'en pouvait supporter. Sentir tout contre elle la chaleur de son corps, la caresse de ses cheveux, la mettait au supplice. A nouveau, ses chagrins et ses rancœurs l'assaillirent. Elle se dégagea brusquement.

— Pourquoi m'as-tu laissée toute seule, ce fameux Noël ? Je t'ai attendu pendant des heures. Tu n'es pas venu, tu n'as même pas téléphoné.

Elle enfouit son visage dans ses mains.

— J'ai voulu te joindre à plusieurs reprises, dit-il d'un ton horriblement gêné. Vraiment, j'ai essayé mais...

— J'étais folle d'inquiétude, j'ai même appelé la police, l'hôpital...

Il ne répondit pas. Elle avait toujours cru qu'il était avec une femme, ce soir-là, il le savait. Il aurait tant aimé la détromper !

Accablée de chagrin, elle se recroquevilla contre le mur du passage. A ce moment précis, Andrew, s'appuyant de tout son poids sur elle, la plaqua contre la paroi rugueuse et, d'une main, la bâillonna. Un bref instant, elle se débattit.

— J'entends quelqu'un, chuchota-t-il. Tiens-toi tranquille ! Surtout ne dis rien !

Paralysée par la peur, elle ne broncha pas. Il ôta alors sa main et elle put reprendre son souffle.

Tout en continuant à lui faire un rempart de son corps, il dégaina son pistolet. Sarah entendit un bruit de bottes se rapprocher, puis elle perçut des voix. Comment diable Andrew avait-il su ? Elle n'avait vraiment rien entendu venir.

Elle distinguait maintenant des bribes de conversation. Elle frissonna. Les soldats se rapprochaient dangereusement de l'endroit où ils étaient tapis. Pourvu qu'ils ne se fassent pas prendre... Ils seraient arrêtés pour n'avoir pas respecté le couvre-feu. Elle pensa avec effroi qu'Andrew serait sûrement torturé et exécuté.

— Sari n'est pas mal, fit l'un des deux hommes, mais si tu voyais sa sœur, Zeena, tu perdrais la tête. Elle a des yeux de braise...

— Tu rêves, mon ami, répliqua l'autre en riant.

— Tu verras !

— Tu crois vraiment ?

— Je suis très patient. J'aurai Zeena. Peut-être même que j'aurai les deux. Qui sait ?...

Sur un ton plus grave, le soldat ajouta :

— Les choses vont changer maintenant.

— Oui, répondit son compagnon avec un sourire. Nahrhim mort, tout va changer.

A cette nouvelle, le cœur de Sarah bondit dans sa poitrine. Le bruit de bottes cessa un instant. Un des hommes alluma une cigarette.

— Tu crois que notre situation va s'améliorer ?

— Quelle question ! Ali Jassim envisage de construire des usines et de restructurer l'armée.

— Ce sont des paroles, tout ça.

— Tout commence toujours avec des paroles.
Mais dis-moi, je n'aime pas beaucoup ta façon de
parler, l'ami.

— Ah! répondit l'autre, mi-figue, mi-raisin. Tu
irais me dénoncer? Tu veux que moi aussi je sois
exécuté?

Sarah enfonçait ses doigts dans les flancs d'Andrew. Celui-ci vrilla son regard au sien comme pour
lui conjurer de se ressaisir. Leurs lèvres se tou-
chaient presque.

Comme c'est étrange! pensait-elle. Elle se retrouvait là, blottie contre Andrew, à deux mètres de
l'ennemi. Elle était obligée de lui faire confiance
alors que depuis trois ans elle faisait tout pour
oublier qu'il l'avait trahie.

— Je suis ton ami, répondit le deuxième soldat
en éteignant sa cigarette. Mais ne parle pas ainsi.
Tu sais ce qui arrive aux traîtres.

— Bon, il faut qu'on y aille. Le colonel sera
furieux si on ne retrouve pas cette femme et son
ravisseur.

— Nous avons perdu sa piste. C'est de leur faute,
pas de la nôtre, ils auraient dû se méfier.

— Eh bien, c'est l'occasion ou jamais de leur
montrer de quoi l'on est capables. On risque d'avoir
de l'avancement.

Les pas s'éloignèrent.

Quand le danger fut passé, Sarah fondit en
larmes.

— Chut, c'est fini... tout va bien, murmura
Andrew.

— Il est mort, dit-elle. Nahrhim est mort.

Des larmes silencieuses coulaient sur ses joues.

Andrew avait accusé le choc. Le Président avait
dû être tué au cours des deux dernières heures.
Lorsqu'il avait rencontré Marek cet après-midi

même, ils avaient essayé de mettre au point un plan d'évasion pour Nahrhim. Apparemment, ce plan avait échoué. Ou bien Marek avait été repéré en quittant l'ambassade, ou alors il avait été dénoncé. Et Marek avait beau être un agent hors pair, ils avaient malheureusement les moyens de le faire parler... Ce qui voulait dire que sa propre présence dans le pays était probablement déjà connue.

Il entoura Sarah d'un bras protecteur. Il savait à quel point ces dernières minutes avaient dû être éprouvantes pour elle. D'un geste apaisant, il lui caressa les cheveux et la nuque.

— Allons, ma chérie. On ne peut plus rien pour Nahrhim. Garde tes larmes pour les vivants.

— Que va-t-il se passer maintenant ? demanda-t-elle.

— Je ne sais pas.

— Si Jassim a osé tuer le Président, rien ne l'arrêtera. On me recherche, tu as entendu ce que disait l'homme tout à l'heure. Comment se fait-il qu'on soit déjà à ma poursuite ?

— Qui est susceptible d'avoir signalé ta disparition ?

— Bashir, dit-elle après un instant de réflexion. Marek l'a enfermé et Bashir a dû croire que j'étais en danger. Si je réussis à retourner à l'ambassade sans me faire remarquer, tout rentrera dans l'ordre.

Andrew frémit devant tant de naïveté. Ne comprenait-elle donc pas qu'elle serait en danger si Jassim n'obtenait pas la reconnaissance officielle de son nouveau gouvernement ? La nouvelle de l'exécution du Président avait dû se répandre telle une traînée de poudre dans le monde entier. A cette heure, tous les dirigeants américains devaient être réunis.

Andrew résista au désir de la serrer à nouveau dans ses bras.

— Je ne pense pas que ce soit une très bonne idée, dit-il.

— Et Bruce ! s'écria-t-elle soudain, les yeux agrandis par l'inquiétude. Bruce va se retrouver mêlé à toute cette histoire ! Si Jassim en vient à de telles extrémités et qu'en plus il se promène avec une caméra sur l'épaule, il va au-devant de graves ennuis.

A vrai dire, Andrew y avait déjà pensé.

— Chaque chose en son temps, répondit-il néanmoins. Je m'occuperai de Bruce quand tu seras en sécurité.

— Que comptes-tu faire ?

Il éluda la question.

— Je vais lui envoyer un message par l'intermédiaire de Marek. Ne t'inquiète pas, je m'en charge.

Sur le moment, elle n'y avait pas pris garde, mais il lui revint à l'esprit qu'Andrew avait dû parfaitement comprendre la conversation des deux soldats. Ainsi, il connaissait l'arabe... C'est donc qu'il s'intéressait de près aux événements qui se déroulaient dans ce pays... Beaucoup plus qu'elle ne l'avait imaginé. Quelles pouvaient donc être ses activités ?

A travailler dans l'univers préservé de l'ambassade, on avait tendance à oublier l'extrême pauvreté du pays. Le camp où ils se rendaient était établi autour d'une ferme détruite par les bombardements. Les plus chanceux dormaient sous la tente, les autres s'entassaient sur des paillasses de fortune ou des journaux étalés à même le sol.

— Est-ce que tous ces gens sont pour Nahrim ou contre lui ?

Andrew vérifia le chargeur de son pistolet.

— La plupart d'entre eux ne le savent probablement même pas. Les jeunes doivent être pour Nahrim, ce sont des idéalistes. Quant aux plus âgés, ils ont traversé tant de révolutions, qu'ils n'aspirent qu'à une chose : la paix.

— Tu n'as pas l'intention de te servir de ton arme, j'espère ?

— Il faut tout prévoir quand on ne sait pas à qui l'on a affaire.

Alors qu'ils pénétraient à l'intérieur du camp, Sarah, peu rassurée, se serra contre son compagnon. Beaucoup ne dormaient pas. Des ombres furtives surgissaient autour d'eux, puis s'évanouissaient dans la nuit. Andrew s'arrêta un instant, cherchant à reconnaître les lieux.

— Attends-moi ici, dit-il, je vais chercher le camion et je reviens te prendre.

L'idée de rester seule la terrifiait. Elle agrippa la chemise d'Andrew et le supplia.

— Non !

— N'aie pas peur, Sarah, je n'en ai pas pour longtemps.

— S'il te plaît, ne me laisse pas toute seule ici ! S'il te plaît...

Il lui prit le menton et la regarda droit dans les yeux.

— Bon, puisque c'est ainsi, viens avec moi.

Tendrement il lui prit la taille et ils se frayèrent un chemin entre les arbres. Soudain une ombre se dressa devant eux braquant une lampe-torche dans leur direction. Sarah eut un mouvement de recul. D'une pression de la main, Andrew la rassura.

— Du calme.

Puis il appela prudemment :

— Abu Wazhir ?

L'homme s'approcha, abaissa le faisceau de sa lampe. C'était un jeune homme au visage grave. Il arborait une expression de méfiance. De longs cheveux noirs encadraient son visage. Il ne portait en tout et pour tout qu'un vieux jean râpé et des bottes éculées. A l'épaule, pendait l'inévitable mitraillette.

— Vous venez pour le camion ? demanda-t-il en arabe.

— Oui.

— Vous avez l'argent ?

— Oui.

Abu Wazhir jaugea Andrew. Il comprit tout de suite quel genre d'homme il avait en face de lui. On le devinait rien qu'à son regard. Du bout de sa mitraillette, il indiqua le chemin.

— Par ici.

Sarah demanda discrètement à Andrew :

— D'où connais-tu cet homme ?

— C'est un ami de Marek, répondit-il d'une manière laconique.

Sarah resta perplexe. Qui était donc ce Marek ? Lui et Andrew étaient-ils associés ?

— Tu es sûr que c'est très régulier ? dit-elle en apercevant le camion. Ces gens doivent sûrement en avoir besoin, pourquoi le leur prendre ?

— Ils ont encore plus besoin d'argent. De toute façon, c'est probablement un véhicule volé.

Sarah fronça les sourcils.

— Ça ne me plaît pas beaucoup quand même.

Un groupe de jeunes gens faisaient maintenant cercle autour d'eux, curieux d'assister à la transaction. Ils dévisageaient Andrew d'un air soupçonneux. L'un d'eux fit un signe de connivence à Abu Wazhir.

Ils doivent me prendre pour une riche touriste américaine, prête à mettre le prix qu'il faudra pour se tirer d'un mauvais pas, pensa Sarah.

— Reste en retrait, ils ne voudront jamais marchander avec une femme, lui ordonna Andrew.

Debout, à l'écart, Sarah observa la discussion animée qui s'ensuivit, avec force gestes et protestations. A un moment donné, tous les regards convergèrent vers elle. Elle sentit sa gorge se nouer. Que pouvaient-ils bien dire ?

Les négociations reprirent de plus belle. Lorsque la foule se dispersa, elle en déduisit que le marché était conclu. Abu Wazhir disparut derrière un mur en ruine, pour réapparaître quelques secondes plus tard, avec un petit baluchon blanc qu'il tendit à Andrew. Celui-ci en sortit une impressionnante liasse de billets qu'il compta soigneusement avant de les remettre à Abu Wazhir qui, à son tour, se livra à la même opération.

Sans perdre de temps, Andrew entraîna Sarah vers le camion et l'aida à se hisser sur son siège. Lui-même se glissa au volant, jeta le paquet sur les genoux de Sarah, puis sans la regarder, mit le contact.

— Alors ? Tout s'est passé comme tu voulais ?
— Je te raconterai plus tard, dit-il.

Le camion démarra dans un nuage de poussière. Tandis qu'il descendait péniblement la piste accidentée qui menait à l'autoroute en direction de la frontière, Sarah défit le nœud du sac de toile. Il contenait du pain rassis et du fromage de chèvre.

— Cela m'étonne qu'il ait bien voulu te vendre le camion, dit-elle en tendant un morceau de pain à Andrew.

Arrivé à l'autoroute, celui-ci s'arrêta. Il consulta une dernière fois la carte et se tourna vers elle.

— Il ne voulait pas me le vendre...
— Le monstre ! dit-elle sur le ton de la plaisanterie.

Elle mordit dans son pain avec une telle énergie qu'il éclata de rire.

— Ils étaient pro-Nahrhim. Ils rassemblent des armes pour lutter contre Jassim. Quand je leur ai dit que je devais faire sortir une femme du pays, ils ont voulu revenir sur leur transaction.

— Apparemment tu as réussi à les convaincre !... Andrew sourit malicieusement.

— Eh oui, je leur ai raconté que tu étais l'amie d'un des plus hauts dignitaires du président Nahrhim, que tu étais enceinte et malade, et que je devais absolument te ramener à Paris.

— Pardon ?

— Ils étaient ravis de prendre l'argent et d'être débarrassés de toi. Ils nous ont même souhaité bon voyage.

Sarah crut qu'elle allait s'étouffer. Un violent fou rire nerveux l'agita tout entière. Lorsque enfin, les larmes aux yeux, elle eut retrouvé un peu de son calme, elle parvint à articuler :

— Oh, Andrew, quel machiavélisme ! Tu n'as pas honte ?

— Les meilleurs plans sont toujours les plus diaboliques, rétorqua Andrew.

Après quelques minutes de silence, il reprit d'un ton ému, cette fois :

— Tu te souviens de cette fois où nous avons décidé, en plein hiver, d'aller passer un week-end en amoureux au Canada ?

Quelle question... Il faisait un froid glacial et ils avaient eu une soudaine envie de neige, de feux de bois, de fous rires et de bons petits plats dégustés en tête à tête. Ils étaient ravis à l'idée de s'aimer tout le week-end dans un petit chalet douillet... Tout à leur impatience de se retrouver seuls, ils n'avaient cessé de s'embrasser tout au long du chemin.

Malheureusement, ils étaient à peine arrivés qu'une tempête de neige faisait sauter tous les circuits électriques. Avec force excuses, les clients avaient été priés de se trouver un autre hôtel... Ils avaient dû, la mort dans l'âme, renoncer à leur intermède romantique et rentrer chez eux avec un bon rhume en prime.

— Nous avons quand même eu des bons moments, n'est-ce pas, Andrew ? dit enfin Sarah d'une voix douce, les yeux perdus dans le vague.

Andrew acquiesça silencieusement. Elle se demanda soudain avec angoisse quelle serait sa destinée quand la parenthèse qu'ils étaient en train de vivre se refermerait. Le futur lui apparaissait tout à coup désespérément vide.

Andrew perçut son amertume.

— Oui, nous avons eu des bons moments, répondit-il gravement.

— Oh, Andrew ! soupira-t-elle d'une voix absente.

La route s'étendait devant eux, baignée par la douce lumière des étoiles. Ils se dévisagèrent à nouveau en silence, conscients de l'abîme qui les séparait. Puis soudain, leur attirance fut la plus forte. Ils se penchèrent l'un vers l'autre. Leurs cœurs battaient la chamade. En cet instant fragile, tout ce qui les séparait fut aboli.

— Oh Sarah, dit-il dans un souffle, tout en caressant son visage et sa gorge ; parfois tout me semble tellement absurde.

— Je sais...

Comme au ralenti, leurs lèvres s'entrouvrirent et se scellèrent en un long baiser émerveillé. Tout à coup Andrew sentit une peur panique surgir du plus profond de son être à l'idée que ce moment de tendre félicité allait prendre fin. Pourtant la jeune femme se laissait aller contre lui, ses baisers lui arrachèrent même un gémissement. Brusquement, elle attira impérieusement son visage contre le sien.

— Tout pourrait recommencer comme avant,

murmura Andrew tandis qu'il l'étreignait fougueusement.

Tout à la douceur de la retrouver, il lui passa une main autour de la taille et attira ses hanches contre lui jusqu'à ce que leurs corps s'épousent. Sarah s'agrippa à ses épaules.

— J'ai peur, dit-elle.

Le souffle lui manquait. Elle prit le visage d'Andrew dans ses mains.

— J'ai changé, tu sais... Nous avons changé, corrigea-t-elle, en levant vers lui un regard rempli de désarroi.

— Crois-tu ?

Andrew effleura à nouveau ses lèvres. Comme elle vibrait sous cette caresse, il glissa sa main sous la légère tunique et emprisonna un sein au creux de sa paume.

— Si nous n'étions pas ici, dans ce camion... oserais-tu ?

La voix rauque d'Andrew la troublait au plus haut point. Ses pensées avaient d'ailleurs suivi le même cours. Elle nicha sa tête dans le cou de son compagnon.

— Il ne faut pas me poser cette question, Andrew...

Leurs lèvres se joignirent à nouveau.

— Réponds-moi.

— Je ne sais pas.

Tous deux sentaient leurs corps s'embraser. En dépit des sentiments contradictoires qui les agitaient, de l'inconfort et du danger de la situation, un désir impérieux les réunissait.

Brusquement, faisant appel à toutes les ressources de sa volonté, Andrew se ressaisit et relâcha son étreinte. Il s'écarta de Sarah, essayant de reprendre son souffle.

Elle non plus n'avait pas la force de parler ; elle

esquissa simplement un sourire et hocha la tête. Comme c'est étrange, pensait-elle, qu'Andrew et moi puissions tricher de la sorte malgré les liens qui nous unissent!

Se penchant vers elle, Andrew déposa tendrement un dernier baiser sur ses lèvres avant d'engager le camion sur l'autoroute. Sarah s'enfonça dans son siège et ferma les yeux. Les souvenirs affluèrent à sa mémoire. Après son divorce, elle avait cherché à refaire sa vie. Bien sûr elle avait connu d'autres hommes. Ils l'avaient embrassée, tenue dans leurs bras. Mais elle n'avait éprouvé aucun plaisir, aucune émotion. Jamais elle ne s'était abandonnée totalement, jamais elle n'avait vraiment partagé leur intimité. En fait, aucun homme ne l'attirait véritablement... Elle avait même fini par se demander s'il lui arriverait un jour de vibrer à nouveau, si sa capacité d'aimer n'était pas tarie à jamais... Et il avait suffi d'un seul baiser d'Andrew pour réveiller en elle ce désir brûlant, avide, inextinguible, cette soif de donner et de recevoir, cette soif d'amour et de plaisir partagés...

— Pose ta tête sur mon épaule, tu es exténuée, lui dit Andrew, lui passant un bras autour des épaules.

L'espace inconfortable qui séparait les deux sièges rendait l'opération malaisée. Sarah essaya de plaisanter.

— Décidément, ce camion n'est pas conçu pour les effusions, dit-elle.

Elle vit les yeux d'Andrew se plisser de rire comme au début de leur amour.

— Tu me fais pourtant l'effet d'une femme pleine de ressources, rétorqua-t-il.

Qu'il était bon de plaisanter avec lui, comme autrefois! Choisissant délibérément d'ignorer la petite voix intérieure qui la poussait à la prudence, elle s'abandonna contre son épaule rassurante et laissa échapper un long soupir de satisfaction.

Le camion roulait dans la nuit. Andrew et Sarah se taisaient. Peut-être craignaient-ils de rompre le charme. Ils savouraient silencieusement le plaisir de se sentir bien, là, blottis l'un contre l'autre.

Les yeux rivés sur le ruban sinueux de l'autoroute, Andrew redécouvrait la douceur d'une présence aimée.

Pour la première fois, depuis leur séparation, il était heureux. Se pouvait-il que la vie leur offre une seconde chance ?

Chapitre 5

Le moteur toussa deux fois puis s'arrêta net. Sarah ouvrit les yeux et regarda autour d'elle, étonnée.

— Où sommes-nous ? demanda-t-elle.

Se rendant compte qu'elle avait dormi la tête sur l'épaule d'Andrew, elle s'écarta de lui, un peu gênée.

L'aube naissante faisait s'évanouir une à une les étoiles dans le ciel. La route suivait le bord d'un plateau montagneux. En contrebas, s'étendait une vallée étroite, bordée de pins.

— Nous sommes presque arrivés à la frontière, dit Andrew.

— Que se passe-t-il ?

Andrew fit une grimace agacée et remit le contact. Le moteur eut quelques ratés puis se tut.

— Bon sang ! jura Andrew en sortant du camion.

Sarah étouffa un bâillement.

— Qu'en penses-tu ?

— Je crois qu'il ne nous mènera pas plus loin ! fit Andrew avec un geste d'impuissance.

Du camion, Sarah le regarda se débattre avec le moteur. Comme tant de femmes, elle se sentait totalement impuissante face à une mécanique défectueuse. Mais à voir l'expression contrariée d'Andrew, elle se dit que les hommes connaissaient aussi parfois quelques difficultés en la matière. Elle quitta la cabine et le rejoignit. Totalement absorbé par sa tâche, il vérifiait méticuleusement les batteries.

— Le moteur est en panne ? Tu sais ce qui ne va pas ? demanda-t-elle d'une toute petite voix.

Andrew nettoyait maintenant les bougies.

— Il va falloir marcher, dit-il.

Sans relever la tête, il ajouta :

— Si seulement j'arrivais...

Sa voix se perdit dans le vent. Sarah s'éloigna et fit les cent pas tout en regardant le paysage aride qui s'étendait à perte de vue. Elle revint à ses côtés.

— Alors ? Tu ne trouves pas ?

Comme il se redressait, elle vit qu'il avait les mains et le visage pleins de cambouis.

— Tu crois que cela m'amuse de farfouiller dans ce moteur ?

— Mais je ne sais pas, moi !

La situation lui paraissait tout à fait irréelle. Elle étouffa un rire. Sur un ton un peu sec, il rétorqua :

— Si je savais où est la panne, je réparerais cet engin, tu ne crois pas ?

Elle haussa négligemment les épaules et fut soudain prise d'une irrésistible envie de l'embrasser.

— Tu sais ce que je pense, Andrew ?

Intrigué, il lui sourit, oubliant tout pour la regarder avec tendresse. Il avait l'impression qu'il retrouvait la Sarah d'autrefois. Il fit mine de lui prendre le visage entre ses mains.

Elle eut un mouvement de recul.

— Tu n'oserais tout de même pas !

— Il y a beaucoup de choses que j'oserais quand tu me regardes avec ces yeux-là.

D'un mouvement brusque, il lui passa les bras autour du cou.

— Andrew ! cria-t-elle. S'il te plaît !

Ce fut un jeu d'enfant pour Andrew de la plaquer contre le camion. Il l'enlaça plus étroitement.

— Qu'as-tu à redire ?

Ce petit jeu amoureux la mettait mal à l'aise : elle se sentait peu disposée à y participer. Alors, elle coupa court à ce badinage en repoussant une boucle brune sur son front et lui demanda :

— Est-ce que cela signifie que nous allons retourner à al-Qunay à pied ?

Andrew sentait qu'elle lui résistait, qu'elle ne voulait pas totalement s'abandonner.

— Si Bruce n'était pas à al-Qunay, lui confia-t-il, je n'envisagerais certainement pas de t'y ramener. Mais je ne vois pas d'autre solution.

— Tu as l'air de t'inquiéter beaucoup pour Bruce.

— Maintenant que le président Nahrhim est mort, je dois avouer que j'ai peur pour lui.

Elle savait que, même s'il l'avait amenée à Tel-Aviv, il serait de toute façon retourné à al-Qunay aussitôt après.

— Alors, que faire ?

Andrew relâcha son étreinte et lui dit gravement, sans croiser son regard :

— Je suis prêt à tout pour que tu retournes aux Etats-Unis, saine et sauve.

— Et moi, je veux que nous rentrions ensemble, répondit-elle.

Andrew alla chercher leurs affaires dans la cabine et lui donna son sac. Il resta un moment sans bouger, la main sur son bras. Le poids de sa main posée sur sa peau ravivait en elle des souvenirs brûlants. Elle frissonna et baissa les yeux.

— Tu as froid. Tu veux ma veste ?

Elle secoua la tête.

— Non merci.

D'un ton plus grave, elle demanda :

— Tu as de gros ennuis, non ?

Andrew soupira profondément. Il avait pris la décision de tout lui expliquer mais, maintenant qu'ils devaient retourner à al-Qunay, il ne voulait pas lui faire partager le poids de ce secret avec lui.

— Tu as raison. Certaines affaires me retiennent à Orban et je serai obligé d'y retourner tôt ou tard.

Peu surprise, elle hésita cependant un instant avant de lui demander :

— Est-ce que tu t'es compromis d'une façon ou d'une autre dans une affaire illégale ?

Les yeux clos, il réfléchit un moment puis il prit le visage de Sarah dans ses mains. Il plongea ses yeux dans les siens comme s'il voulait la convaincre par la simple intensité de son regard.

— Sarah, je dois admettre que je n'ai pas toujours été honnête envers toi. Mais si j'ai agi ainsi, c'est que je ne pouvais faire autrement. Je ne voulais pas que tu pâtisses de mes activités. Mais je te jure sur ce que j'ai de plus cher au monde que je n'ai rien à me reprocher. Je ne t'ai jamais trompée, je n'ai pas non plus de torts envers qui que ce soit. A un moment donné, j'ai été pris entre mon devoir et mes sentiments.

Instinctivement, Sarah passa ses bras autour de sa taille.

— Andrew, lui dit-elle doucement.

— Oui ?

— Tu me répondras si je te demande quelque chose ?

— Si je le peux, oui.

— Est-ce que tu as besoin de moi ?

S'il avait besoin d'elle ? Tous les moments qu'ils avaient passés ensemble, toutes leurs nuits d'amour lui revinrent soudain à la mémoire. Comme il avait aimé ce bonheur partagé, la sentir avec lui, à ses côtés. Aujourd'hui, il n'était plus que la moitié de lui-même. Sa solitude lui pesait plus que jamais.

Il l'embrassa sur la tempe avec une infinie tendresse.

— Sarah, tu ne sauras jamais combien tu m'as manqué.

Elle éclata brusquement en sanglots. Il la prit dans ses bras et la berça doucement comme une enfant. Après un temps, elle s'écarta de lui; il essuya ses larmes.

— Je suis exténuée.

— Nous ne pouvons pas nous arrêter ici, ma chérie.

— Juste quelques minutes, supplia-t-elle. Allons nous reposer quelques instants dans le camion.

Andrew n'avait pas dormi depuis quarante-huit heures mais il savait que cet endroit était extrêmement dangereux. Il était impossible qu'ils y restent plus longtemps.

— Viens, donne-moi la main. Il y a une rivière plus bas, au pied des collines. Laisse-moi porter nos affaires.

Ils entamèrent une descente longue et difficile, leur progression était ralentie par la végétation qui s'épaississait au fur et à mesure qu'ils se rapprochaient du lit de la rivière. A cet endroit, elle délimitait la frontière, ne formant qu'un cours d'eau peu profond, de trois mètres de largeur. L'eau des montagnes y coulait limpide, sous les premiers rayons du soleil. Une petite plage de sable fin s'étendait en aval et, sur l'autre rive, d'épais buissons empêchaient de suivre la berge.

On n'y décelait aucune trace de présence humaine. Seuls des cris d'oiseaux venaient troubler le silence.

Sarah et Andrew déposèrent leurs paquets et allèrent à la rivière. Puis ils s'allongèrent sur le sable et, bercés par le doux bruit de l'eau, ils sombrèrent dans un sommeil profond, main dans la main.

Lorsque Sarah se réveilla, elle ne se souvenait plus où elle était. Soudain elle sentit la main d'Andrew innocemment posée sur la sienne et tout lui revint en mémoire.

Elle se recula pour mieux le voir. Il dormait encore, allongé sur le ventre. Pour la première fois depuis qu'ils s'étaient revus, aucune tension ne se lisait sur son visage. Elle le regardait furtivement, un peu gênée de pouvoir l'observer à son insu. Elle se sentait irrésistiblement attirée par lui. Ses lèvres sensuelles ne trahissaient jamais ses émotions mais elle se souvenait qu'elles tremblaient parfois un peu quand il l'attirait à lui pour l'embrasser...

Elle détourna son regard. Le soleil, presque au zénith, donnait à la rivière des reflets d'argent. Elle se dit qu'il était temps de le réveiller puis comme il murmurait quelque chose dans son sommeil, elle s'éloigna, troublée.

Se dirigeant vers la rivière, elle choisit un endroit peu profond et se déshabilla. L'eau était glacée, elle frissonna en y entrant. Après avoir rincé ses vêtements, elle les étendit sur le sable pour les faire sécher.

Puis, elle s'allongea sur le sable et ferma les yeux. Tout au plaisir de sentir le soleil réchauffer sa peau nue, elle n'entendit pas Andrew arriver.

— Pourquoi ne m'as-tu pas attendu ?

Elle releva brusquement la tête. Il était campé devant elle et la contemplait.

— Tu dormais si profondément, répondit-elle.

Comme la situation était déroutante ! Elle se retrouvait devant lui, dans le plus simple appareil, sans l'avoir voulu. D'un ton qui se voulait dégagé, elle lui fit reproche de son peu de civilité.

— Tu ne crois pas qu'il aurait été plus courtois de ta part de te manifester autrement ? Il y a longtemps que tu es réveillé ?

Il lui sourit et se laissa tomber à genoux à ses côtés.

— Tu sais, ma courtoisie a des limites. Tu as faim ?

— Je me sens affamée.

— Moi aussi.

Sarah avait un peu peur qu'Andrew ne la prenne dans ses bras mais bizarrement son regard presque froid posé sur elle la rendait fébrile. Finalement, elle cacha son visage dans le creux de son bras, comme si ce geste avait le pouvoir de la dissimuler.

— Je t'en prie, ne me regarde pas ainsi, lui dit-elle.

— Tu m'en demandes un peu trop.

Elle se releva à moitié.

— Je ferais mieux de passer un...

Il l'interrompit avec âpreté.

— Non. Reste comme tu es.

Il était absurde qu'ils s'en tiennent là. Ni l'un ni l'autre n'était dupe. Sarah eut soudain l'impression qu'ils en étaient revenus au jour lamentable de leur séparation. Elle détourna la tête.

— Regarde-moi, Sarah ! lui dit-il.

Elle n'en avait nulle envie. Elle éprouvait des sentiments tellement contradictoires !

— Qu'attends-tu de moi ? dit-elle, excédée. Tu es en situation de force mais ne t'y trompe pas, je ne suis plus dans les mêmes dispositions qu'autrefois.

— En tout cas, tu es toujours aussi belle. Le désir que j'ai de toi t'offenserait-il ?

Sarah l'affronta du regard. Peut-être fallait-il qu'elle donne libre cours à son ressentiment, si elle voulait qu'un soupçon d'entente renaisse entre eux. Elle avait tant souffert de son absence, de ses départs précipités.

— Andrew, il ne sert à rien de renouer des liens qui ne pourraient être qu'éphémères.

— Et l'amour qu'il y avait entre nous, qu'en fais-tu ?

Elle replia ses genoux contre elle.

— Présentement, il ne s'agit pas d'amour. Seul le désir te pousse vers moi.

Elle vit son visage se crisper sous la colère. Soudain elle s'en voulait d'avoir parlé ainsi.

Elle tendit la main vers lui.

— Andrew...

Il se leva et lui tourna le dos.

— Je suis désolée, Andrew.

Elle comprit que le moment était venu de lui dire tout ce qu'elle avait sur le cœur.

— J'ai du mal à exprimer ce que je ressens. Parfois, c'est comme s'il n'y avait plus de place en moi que pour l'amertume et la désillusion.

Elle ajouta plus doucement :

— Cela fait si... mal.

Andrew l'écoutait toujours, le dos tourné, comme s'il voulait qu'elle aille jusqu'au bout de ses aveux.

Elle reprit d'une voix hésitante :

— Tu sais, Andrew, j'ai eu tant de difficultés à apprendre à vivre sans toi. Parfois, quand je suis dans la rue ou au restaurant, je scrute en vain tous ces visages anonymes dans l'espoir d'y lire une lueur de compréhension...

— C'est un ami que tu cherches ?

Il ne la vit pas hausser tristement les épaules.

— J'aurais cru que j'étais plus forte...

— C'est pour cela que le mariage a du bon.

— Pourquoi ?

94

— Lorsqu'on est marié, on partage tout avec l'être aimé, on comprend même ses silences.

— Cela a toujours été mon rêve...

— Moi aussi.

— Je croyais que nous pourrions le réaliser.

— Mais nous aurions pu !

— Tu as trahi notre amour, Andrew.

— Ce n'est pas moi qui ai demandé le divorce.

— Je sais. Mais tu en as assez fait pour que je prenne cette initiative !

Andrew serra les poings dans ses poches. Il lui fallait accepter qu'elle le croie coupable sinon il risquait de mettre sa vie en danger.

— Je ne chercherai pas à me disculper, dit-il tristement.

Ainsi il reconnaissait ses torts ! Elle se sentit soudain désemparée. Sa victoire était trop facile.

Les yeux baissés, elle murmura :

— Tu n'es peut-être pas le seul à blâmer !

Andrew hésita un instant puis lui demanda :

— Sarah, serais-tu capable de me faire confiance si je t'avouais à nouveau mon amour ?

— Je ne sais... Tout dépend ce que tu entends par amour.

— Et qu'est-ce selon toi ?

D'une voix à peine audible, elle expliqua :

— Pour moi, c'est un état de plénitude totale, une communion physique et spirituelle entre deux êtres... une sorte d'état de grâce.

Elle ferma les yeux. Elle avait tant besoin qu'il la comprenne.

— Je t'approuve totalement, dit-il.

Puis songeur, il s'éloigna vers la rivière.

Sarah eut le sentiment qu'ils venaient de vivre un instant unique, un moment de bonheur comme par le passé. Mais à quoi bon ressasser ce qui n'était plus ? L'amour pouvait-il renaître de ses cendres ?

Son tourment avait-il une quelconque importance pour lui ? Elle l'aurait juré mais elle n'était plus sûre de rien.

Elle tenta de détourner son regard d'Andrew qui se déshabillait près de la rivière. Son cœur battait follement en redécouvrant le corps mince et athlétique, les longues jambes musclées d'Andrew. Il se rafraîchissait dans l'eau et mille gouttelettes scintillaient sur sa peau hâlée.

Sarah s'allongea à nouveau sur le sable et ferma les yeux. Il avait toujours le même pouvoir sur elle...

Soudain consciente de gâcher des instants exceptionnels, elle se leva et courut vers la rivière. Elle rejoignit Andrew dans l'eau. Se lovant contre lui, elle lui passa les bras autour de la taille. Au contact de sa peau, la pointe de ses seins se durcit.

— Je t'aime, murmura-t-elle.

Un violent frisson parcourut Andrew. Il se retourna et lui fit face. Troublée, Sarah sentit combien il la désirait. Elle se suspendit à son cou. Leurs deux corps enlacés formaient comme une île. Il l'emprisonna dans ses bras, puis s'unit à elle avec la fougue des premières fois...

Quand ils s'écartèrent l'un de l'autre, tremblant d'émotion, Andrew l'aida à regagner la berge. Elle s'étendit sur le sable tiède.

— Mon amour, cela fait si longtemps que j'attendais ce moment, chuchota Andrew en s'allongeant auprès d'elle.

Sarah l'attira sur son sein et déposa une pluie de baisers dans son cou. Elle pressentit que leur désir était loin d'être assouvi et que leurs sens, exacerbés par cette première étreinte, réclamaient d'autres plaisirs. Comme pour narguer le passé, elle eut soudain envie de se montrer plus audacieuse. Tout en elle exprimait le feu qui la dévorait.

— Andrew ! dit-elle dans un souffle.

Bravant alors toutes les inhibitions qui l'avaient jusque-là freinée dans ses élans, elle l'aima à son tour, avec une impétuosité égale à la sienne.

Défaillant de plaisir, ils soudèrent leurs lèvres l'un à l'autre. C'est ensemble qu'ils atteignirent les rives d'un plaisir immense.

Plus tard, bien plus tard, Sarah lui dit d'une voix émue :

— Comme j'aimerais que nous restions toujours là.

Ils baignaient dans une douce béatitude. Andrew offrait son dos aux rayons du soleil. Appuyée sur un coude, Sarah s'amusait avec une brindille à dessiner sur le sable. Il la contemplait avec ravissement. Le soleil ponctuait sa peau dorée de douces ombres prometteuses.

Sarah arborait un petit air détaché, qui, il devait bien l'avouer, le blessait dans son orgueil.

Elle regarda les collines au loin.

— On va devoir marcher encore longtemps avant d'atteindre al-Qunay ?

— Je ne pense pas. Nous trouverons certainement un fermier sur le plateau pour nous y conduire, répondit-il en souriant.

— Tu te débrouilles toujours, Andrew Southerland, dit-elle en lui envoyant un baiser mutin. Je devrais le savoir.

Andrew lui enleva la petite brindille des mains, écrivit son nom sur le sable, l'entoura d'un cœur et y ajouta le sien.

— Tu as oublié la flèche. Il y en a toujours une.

Il s'exécuta.

— Ainsi tu me reproches d'intriguer, dit-il tout à coup d'un ton détaché.

— Oui. Tu arrives toujours à tes fins, que ce soit avec Marek ou pour acheter un camion, tu possèdes tout le monde. Tes talents m'impressionnent, Andrew !

— Si tu avais su ce qui t'attendait, m'aurais-tu épousé la première fois ?

Elle ne répondit pas immédiatement. Elle s'appliquait à dessiner une guirlande de petits cœurs autour du dessin d'Andrew.

— Rien au monde n'aurait pu m'en empêcher, dit-elle enfin.

— Et si c'était à refaire ?

Eludant la question, elle lui demanda :

— Y a-t-il eu d'autres femmes dans ta vie après notre séparation ?

Sa propre audace la fit rougir.

— Excuse-moi. Nous sommes divorcés, après tout, c'est sans importance.

Andrew n'avait visiblement aucune envie de répondre. Bien sûr, il avait eu des maîtresses, il n'aurait pu supporter de rester seul. Mais jamais il n'avait retrouvé la plénitude qu'il avait connue avec Sarah.

— Elles ont si peu compté...

— Raconte. Parle-moi d'elles.

Andrew se sentait un peu vexé que Sarah ne montre aucun signe de jalousie.

— Qu'attends-tu au juste ? lança-t-il d'une voix mordante.

— Ne te fâche pas. Moi aussi, j'ai eu quelques aventures sans importance. Enfin, tu vois ce que je veux dire, ajouta Sarah en se retournant sur le ventre.

Les oiseaux du désert, de moins en moins craintifs, s'aventuraient tout près d'eux. Après un moment de silence, Sarah reprit :

— Tout à l'heure, tu t'es exprimé d'une drôle de manière. Tu as dit : « quand tu m'as épousé la première fois... »

— Et alors ?

— Eh bien, cela pourrait laisser entendre que tu comptes vivre une seconde fois avec moi.

— De temps à autre, il m'arrive d'être sentimental... Me répondrais-tu si je te posais sérieusement la question ?

Un léger sourire apparut sur les lèvres de Sarah. Elle secoua ses cheveux puis étendit la main pour chasser le sable qui s'était collé par petites plaques sur ses reins et sur ses jambes.

Elle ne se doutait pas à quel point Andrew était troublé de la voir ainsi évoluer avec tant d'ingénuité, dans le plus simple appareil.

— Te comporterais-tu toujours de la même manière ?

Andrew s'attendait à cette question.

— Sache que jamais, au grand jamais, je n'ai eu l'intention de te faire de la peine.

— Dans la chambre, tout à l'heure, tu étais bien mystérieux. Si j'avais insisté, tu m'aurais fait des révélations, n'est-ce pas ?

— C'est vrai.

— Ce que tu me caches a-t-il un rapport avec ta présence ici, à Orban ?

Andrew savait qu'une fois de plus il aurait recours à un faux-fuyant. Ce qu'il allait dire n'était pas un mensonge à proprement parler, mais il ne pouvait que rester évasif. Il s'en voulait, cependant il lui était difficile d'être plus clair.

— Tous les événements de la vie d'un homme sont liés entre eux, évidemment. Mais l'important c'est que je t'aime. Je n'ai jamais cessé de t'aimer.

Le visage de Sarah exprimait une profonde déception. Un moment, Andrew éprouva même de la colère en la regardant, tant ce qu'il lisait sur ses traits lui était insupportable. Il avait l'impression presque palpable que Sarah, tel un procureur, se livrait à toutes sortes de suppositions, qu'elle analysait un à un tous les soupçons, les griefs qu'elle nourrissait à son égard... et qu'ainsi réduit à une simple équation, son amour pour lui ne ressemblait plus à rien.

D'un geste brusque, elle effaça les cœurs sur le sable, se leva et s'éloigna, le narguant inconsciemment de sa glorieuse nudité.

Andrew se sentit profondément bouleversé. Il suffisait de si peu pour que resurgissent tous les fantômes du passé. D'un bond, il fut sur ses pieds et courut après elle. Il lui saisit le bras, d'un geste involontairement brutal.

— Pardon, Sarah, je ne voulais pas te faire mal, s'excusa-t-il en caressant son bras meurtri.

Le soleil couchant embrasait l'horizon et rehaussait l'éclat des yeux verts de Sarah.

— Toujours les mêmes disputes, murmura-t-elle.

— Non, c'est fini. Il n'y aura plus de rapports de force entre nous.

— Andrew, je ne sais plus que croire...

Le désarroi qu'il lisait dans ses yeux lui faisait mal. Elle était la seule femme au monde capable de l'émouvoir.

Andrew joua le tout pour le tout. Il employa la seule arme dont il disposait encore pour la reconquérir. Il l'obligea à s'agenouiller sur le sable, face à lui.

Avec une tendresse infinie, il lui prodigua des caresses auxquelles il savait qu'elle ne saurait résister. Malgré elle, elle tressaillit sous ses mains expertes.

— Ne me juge pas, Sarah. Peut-être que je ne te mérite pas, mais aime-moi, Sarah, je t'en prie...

Subjuguée, elle se laissa doucement glisser sur le sable. A cet instant, plus rien ne comptait. Andrew

100

triomphait de ses dernières résistances. Emportée par l'ivresse de ses sens, elle s'abandonna avec délices au plaisir merveilleux que lui offrait l'homme qu'elle aimait.

Chapitre 6

Ils roulaient en silence. Après qu'Andrew eut réparé la panne, d'un commun accord, ils avaient décidé de repartir vers al-Qunay. Sarah réfléchissait. Ce qu'elle venait de vivre n'avait, au fond, rien résolu. De se retrouver dans les bras d'Andrew avait confirmé ses certitudes les plus intimes : elle l'aimait toujours plus que tout au monde... A certains moments, elle avait même eu l'impression qu'il partageait son amour. Elle pensait qu'avec le temps elle reprendrait sa place dans le cœur d'Andrew, qu'ils pourraient s'aimer totalement, d'un amour sans ombre, sans secrets, que la confiance reprendrait ses droits.

Pourtant, quelques heures plus tard, en contemplant les lumières de la ville d'al-Qunay, en contrebas, Sarah se disait qu'elle avait été folle d'espérer tant d'Andrew, que rien n'allait changer...

Au début de leur amour, il était toute sa vie. Elle lui avait tout donné, se contentant d'exister à travers lui. Elle s'était lancée dans cette nouvelle expérience qu'était le mariage avec enthousiasme, heureuse d'être sa femme. Malheureusement, leur union avait été un échec... Petit à petit, elle avait perdu toutes ses illusions. Aujourd'hui Andrew n'était plus sa seule raison d'être même si ce qu'ils venaient de vivre les avait à nouveau réunis.

— Vu d'ici, tout a l'air tellement paisible, dit-elle pour rompre un silence trop lourd.

Singeant les guides touristiques, Andrew lança :

— Al-Qunay, tout le monde descend ! Al-Qunay, la ville où l'on s'amuse, la ville de tous les plaisirs !

Sous l'ironie du ton, Sarah perçut combien il était tendu.

— Eh bien, que faisons-nous, maintenant ? dit-elle d'un air détaché.

Les mains crispées sur le volant, il la reprit :

— Pas nous. Moi. C'est moi qui dois retourner là-bas.

— Je veux t'accompagner.

— Il n'en est pas question !

— Alors, je t'en prie, n'y va pas !

— Ils tueront Bruce si je ne le préviens pas.

— Moi aussi, j'ai peur pour Bruce...

— Alors fais un effort pour comprendre.

— C'est plus fort que moi, j'ai peur pour toi... et puis... je sais que tu n'y vas pas seulement pour Bruce.

— Tu te laisses entraîner par ton imagination.

— Je t'en supplie, Andrew...

— Il le faut.

Du revers de sa manche, Andrew essuya le pare-brise maculé d'une couche de poussière ocre. Il faisait une nuit étouffante. De lourds nuages gorgés d'humidité s'amoncelaient à l'ouest, masquant les étoiles.

Sarah attendait un geste de réconfort, mais Andrew semblait perdu dans ses pensées. Le regardant à la dérobée, elle lui demanda :

— Lorsque nous étions mariés et que tu disparaissais sans rien dire, c'était pour rencontrer ce Marek ?

Andrew se saisit du pistolet qu'il avait caché sous son siège et s'absorba dans la vérification du bon fonctionnement de l'arme. Sarah le lui aurait volontiers arraché des mains tant son attitude l'exaspérait. Ainsi, encore une fois, il se dérobait !

— Andrew ! supplia-t-elle en lui agrippant la main.

Il n'eut aucune réaction.

— Andrew, réponds-moi à la fin !

D'une voix lasse, il essaya de se défendre.

— Ecoute, quand la situation ne sera plus aussi tendue, je...

Elle l'interrompit avec emportement.

— Non, c'est maintenant que je veux savoir !

Un éclair de colère passa dans les yeux d'Andrew. Cependant, c'est avec calme mais fermeté qu'il répondit :

— Je ne peux rien te dire pour l'instant.

Lâchant sa main, Sarah se détourna de lui.

— En fait, tu te moques éperdument de nous deux, avoue !

D'un geste tendre, Andrew voulut lui caresser le visage pour l'apaiser. Mais il était trop tard, le mal était fait. Sarah se recroquevilla sur son siège.

— Ne réagis pas ainsi, Sarah...

— J'ai été honnête envers toi, alors pourquoi as-tu des secrets pour moi ?

— Mais moi aussi j'ai été honnête !

— Non, tu m'as fait entrevoir le bonheur. Tu as prononcé des mots magiques comme... mariage... confiance...

Andrew maîtrisait mal son impatience.

— Je pensais sincèrement ce que je disais ! s'exclama-t-il.

— Tu as osé prétendre que les choses seraient différentes cette fois.

— Et elles le seront, affirma Andrew.

— Ce n'est pas vrai, tout recommence comme

avant. Tu vas partir, j'aurai mal et je te quitterai à nouveau ! Ensuite, je te haïrai, oui, je te haïrai !

Andrew se sentait profondément humilié que Sarah puisse le juger ainsi, mais il était contraint au silence... Exaspéré, il écrasa l'accélérateur de son pied, puis roula à tombeau ouvert le long de la corniche qui dominait al-Qunay. Peu après il ralentit et se gara à l'abri d'une haie de cyprès encore tout humide de rosée. D'un geste nerveux, il coupa le contact et agrippa convulsivement Sarah par l'épaule.

— Sarah, écoute-moi !

Ignorant sa colère, elle l'interrompit.

— Tu sais ce que je regrette le plus, Andrew ? Que nous n'ayons jamais eu le temps de nous créer des habitudes. Nous n'avons jamais connu tous ces petits rites sans importance qui tissent le quotidien.

La vérité de ses paroles le frappa, mais il n'en laissa rien paraître.

— Ce n'est pas vrai, Sarah. Nous ne pouvons pas nous plaindre. Nous avons eu notre part de bonheur.

— Ah, tu trouves ! Vraiment !... Parce que tu crois qu'on peut prétendre au bonheur lorsqu'on vit les trois quarts de son temps dans l'angoisse et l'inquiétude ! As-tu, ne serait-ce qu'une seule fois, essayé de te mettre à ma place ? Vois-tu, je t'aime, Andrew. Et pourtant je ne peux pas vivre avec toi à cause de ce mur qui nous sépare. Tu sais ce que je voulais faire, quand nous étions mariés ? Je voulais planter un arbre...

Andrew la regarda avec des yeux effarés.

— Pardon ?

— Cela peut te sembler ridicule, mais je rêvais d'en planter un dans notre jardin, un jeune que

105

nous aurions vu grandir ensemble... Chaque année de notre mariage, j'y aurais fait une entaille et...

Bouleversé, Andrew l'attira contre lui.

— Oh Sarah ! C'est la dernière fois que je te quitte ! Je te le jure ! Je ne désire qu'une chose au monde : vivre avec toi... Fais-moi confiance une dernière fois. Et si tu m'aimes, je t'en supplie, ne me pose plus de questions. Il faut que je m'en aille, maintenant.

Avant que Sarah n'ait pu réagir, il lui mit son revolver dans les mains. Elle referma ses doigts sur le métal glacé de l'arme, avec un frisson.

— Je ne pense pas que tu aies à t'en servir, mais...

Elle eut soudain l'impression d'être en face d'un étranger tant l'expression d'Andrew à ce moment était dure et implacable. D'un ton autoritaire, il ajouta :

— Je serai de retour le plus vite possible. Attends-moi ici, et surtout ne bouge pas de ce camion.

Il lui plaqua un rapide baiser sur les lèvres et disparut dans la nuit, silencieux comme un chat. Sarah appuya sa tête contre le dossier et ferma les yeux.

A mi-voix, elle répétait le nom d'Andrew, comme une incantation. Comment ai-je pu être aussi bête !... Je me suis crue très forte. J'ai tout fait pour qu'Andrew succombe à mon charme. J'ai usé de tous les subterfuges. J'ai obtenu ce que je cherchais. Mais je ne suis guère plus avancée. J'ai voulu jouer avec le feu et je me suis brûlée. Une gageure ? Non, de la folie douce...

Soudain un bruit la tira de sa rêverie. Elle tendit l'oreille mais plus rien ne troublait le silence. Son imagination lui jouait-elle des tours ? Ou bien était-ce le souffle du vent dans les branches ?

Elle pencha la tête par la vitre, offrant son visage à la brise nocturne. Elle scruta l'obscurité mais la nuit était trop noire et le rideau de cyprès trop touffu.

Elle se cala dans son siège, fermement décidée à trouver le sommeil. Tout à coup, elle sursauta. Cette fois il n'y avait aucun doute possible. Bête ou homme, le bruit s'était rapproché. Ce ne pouvait être Andrew. Il ne serait pas revenu si vite.

Elle se mordit la lèvre et se cramponna à son siège. A cet instant, elle devait reconnaître qu'elle était bien contente d'avoir une arme. Cela la rassurait. Avec d'infinies précautions, elle ouvrit lentement la portière qui grinça. Elle retint sa respiration, s'attendant à entendre un coup de feu dans la nuit, mais elle ne perçut que le bruit lointain d'un véhicule qui peinait dans la côte.

Malgré les recommandations d'Andrew, elle prit son sac et se fraya péniblement un chemin entre les arbres. A cet endroit, la végétation était luxuriante et enchevêtrée. Mais pour rien au monde, elle n'aurait voulu qu'on la surprenne dans le camion comme une souris prise au piège.

Elle marcha un moment avant de s'immobiliser. Appuyée contre un arbre, ses sens en alerte, elle attendit. Dans la situation où elle se trouvait, tout prenait une autre dimension. Sa dispute avec Andrew lui paraissait bien dérisoire. Elle prit le parti de chasser ses pensées stériles et de s'en tenir à ses préoccupations immédiates. Ne sachant que faire, elle revint lentement sur ses pas. Soudain, elle entendit deux voix masculines.

Elle s'aplatit alors contre un tronc d'arbre. Haletante, elle tourna la tête pour apercevoir deux hommes déboucher dans la clairière. Ils portaient des treillis de camouflage et une mitraillette à l'épaule. Ils avaient repéré le camion, et, après avoir échangé quelques mots, ils s'en approchèrent prudemment...

— Qu'est-ce que tu en penses ? dit l'un des deux hommes en arabe.

Avec précaution, il fit courir le faisceau de sa lampe-torche sur le camion, puis à l'intérieur de la cabine.

— C'est sûrement un camion volé, répondit l'autre.

— Jette donc un coup d'œil à l'intérieur.

Sarah entendit le crachotement de leurs talkies-walkies.

Rien ne vaut une bonne peur pour vous remettre les idées en place, se dit-elle, tapie au fond de sa cachette, en essayant d'apaiser les battements affolés de son cœur. D'abord il fallait qu'elle se sorte de ce mauvais pas. Ensuite, il lui resterait à se réconcilier une fois pour toutes avec Andrew. Voilà quels devaient être à présent ses seuls objectifs !

Elle entendit à nouveau le bruit des talkies-walkies. Les deux hommes venaient probablement d'avoir la confirmation qu'il s'agissait bien d'un camion volé. Sarah se figea tandis que le faisceau d'une lampe balayait les arbres autour d'elle.

— S'il y avait quelqu'un, il n'a pas dû nous attendre, reprit l'un des hommes.

Sarah entendait l'écho de leurs pas se répercuter dans les taillis.

— Je ne vois rien, lança une voix.

— Le voleur doit déjà être loin à l'heure qu'il est. Nous perdons notre temps.

— Autant ramener le camion. Nous n'aurons pas à revenir le chercher.

Les deux hommes montèrent dans le véhicule et démarrèrent. Sarah resta cachée encore un moment, le temps de la manœuvre. Ce n'est que lorsque le camion s'éloigna qu'elle respira, soulagée. Elle se laissa glisser sur le sol. Ses membres engourdis n'aspiraient qu'au repos.

Elle réfléchit un instant. Elle ne pouvait pas rester là. Que penserait Andrew quand il s'apercevrait de sa disparition ? Cette pensée l'inquiétait plus encore que la précarité de sa situation. Il finirait bien par comprendre ce qui s'était passé, se dit-elle, et en toute logique, il penserait à l'ambassade.

Rassemblant ses dernières forces, Sarah entama la pénible descente vers al-Qunay.

— Tout est de ma faute, gémit Bashir qui faisait les cent pas dans sa petite chambre à l'ambassade. Madame devrait me faire couper la langue. Elle devrait me faire fusiller. Non, c'est encore trop bon pour moi ! Je mériterais que Madame me fasse écarteler pour avoir prévenu Ali Jassim. Ah ! quel misérable imbécile je suis !...

— Allons, Bashir, vous ne pouviez pas deviner, dit Sarah pour couper court à ses lamentations. Tout ce que je vous demande pour l'instant, c'est de m'apporter une bonne tasse de thé brûlant. Je suis moulue. J'ai l'impression d'avoir cent ans.

Ils venaient de se raconter mutuellement leurs mésaventures.

— Cet Andrew Southerland a l'air de vouloir vous protéger, Madame...

Bashir hocha tristement la tête.

— Les fanatiques sont partout. Il devient dangereux d'être américain dans ce pays.

Sarah pensa avec soulagement qu'il n'était pas venu à l'esprit de Bashir qu'Andrew puisse être un criminel. Il continuait à discourir, persuadé néanmoins que tout finirait bien par rentrer dans l'ordre. Mais Sarah n'écoutait plus... Elle imaginait Andrew en danger. Il essayerait probablement de retrouver Marek. Peut-être aussi qu'à cet instant même, il se trouvait quelque part dans un bureau en train de brûler des dossiers compromettants concernant ses activités à Orban.

Elle se leva et chercha son sac.

— Couvre-feu ou pas, dit-elle, il faut que je rentre chez moi.

D'un bond, le frêle jeune homme fut sur ses pieds, s'activant dans la chambre. Il baissa la lumière, retourna son petit lit et à toute vitesse il gagna la porte devant laquelle il se posta les bras en croix, bien déterminé à lui en interdire l'accès.

— Il n'en est pas question. Madame va dîner, maintenant. Après cela, elle passera une bonne nuit de sommeil ici, sur mon lit, où au moins elle ne courra aucun danger.

Le regard de Sarah alla du lit à Bashir.

— Je ne peux pas dormir dans votre chambre.

— Il est trop tard pour rentrer chez vous. Vous risqueriez de vous faire interpeller par une patrouille.

— Bon, alors je dormirai sur un des fauteuils. Cela ne me dérange pas. Demain vous vous rendrez à mon appartement et vous me rapporterez des vêtements de rechange, répondit Sarah.

Elle préférait se rendre à ses arguments. Au fond, Bashir n'avait pas tort. Au moins, ici, elle serait en sécurité et c'était un gain de temps. De toute façon, elle était trop fatiguée pour discuter. Elle s'enroula dans un châle et se laissa tomber dans le fauteuil, exténuée.

— Je ne sais même plus que faire maintenant, avoua-t-elle à Bashir après s'être restaurée. Me revoici à l'ambassade et il faut que je réfléchisse à ce qui risque de nuire le moins à Bruce et à Andrew. Que vais-je dire à Ali Jassim ? Ne va-t-il pas trouver

110

curieux que je réapparaisse à l'ambassade aussi soudainement que j'avais disparu ?

Bashir sourit et se redressa de toute sa taille.

— Bien sûr. Aussi il n'y a qu'une seule chose à faire...

Sarah lui lança un sourire interrogateur.

— ... Mentir.

Elle éclata de rire.

— Mentir à Ali Jassim ? Oh, Bashir, je crains que ce ne soit pas mon fort. Je...

Bashir l'interrompit. Son regard avait une lueur sournoise.

— Moi, je sais mentir, dit-il. Et puis j'ai provoqué cet épouvantable...

Bashir cherchait le mot approprié.

— ... imbroglio, dit-elle en venant à sa rescousse.

— Exactement. Aussi je vais maintenant tenter de vous tirer d'affaire. Je vais raconter au colonel que vous avez été kidnappée par un contre-terroriste, que grâce à une ruse diabolique, puis à votre sang-froid extraordinaire, vous avez réussi à lui échapper et à rentrer à l'ambassade saine et sauve. Je vais l'appeler tout de suite.

Sans même attendre l'avis de Sarah, Bashir décrocha le téléphone.

Elle fut absolument médusée par les talents qu'il déploya pour imposer ses mensonges. Chaque intonation était mesurée, calculée. Elle-même s'y serait laissé prendre.

A la fin de la conversation, Jassim était tout miel. Il renonça sans difficulté à la faire interroger par ses services et s'invita même à venir prendre le café le lendemain à l'ambassade. Ils pourraient tranquillement discuter des derniers événements, ajouta-t-il complaisamment.

Lorsque Bashir eut raccroché, Sarah poussa un soupir de soulagement. Elle n'était certes pas enchantée à l'idée d'avoir une entrevue avec Jassim, mais elle savait qu'elle aurait pu s'attendre à bien pire...

— Tout ce que je peux dire, c'est que je suis diablement contente que vous soyez avec nous, Bashir.

Il acquiesça gravement. Il valait en effet mieux qu'il en soit ainsi. Puis, une fois de plus, il se confondit en excuses, priant Sarah de lui pardonner tous les ennuis qu'il lui avait causés, et prit congé d'elle.

Chapitre 7

A huit heures et demie, le téléphone sonna à l'ambassade. C'était Bruce qui venait d'apprendre le retour de Sarah. Elle émergeait péniblement d'un sommeil lourd et agité. Sa première pensée fut pour Andrew qui ne s'était pas encore manifesté.

— Comment avez-vous appris ce qui m'était arrivé ? lui demanda-t-elle d'une voix endormie.

— C'est à la une des journaux, ce matin.

Il lui expliqua que Jassim avait monté l'histoire en épingle afin de s'attirer les bonnes grâces des Américains. Il ajouta que le colonel l'avait fait chercher pour l'interroger sur sa disparition. C'était le branle-bas de combat. Il s'inquiéta de sa santé. Sarah le rassura. Elle n'avait besoin que d'un peu de repos.

— Et vous, comment allez-vous ?

Bruce lui raconta ses démêlés avec la société Amalgamated Textiles.

Tout s'était passé pendant qu'Andrew et elle étaient sur les routes. Bruce s'était rendu en camionnette à l'usine américaine et avait interviewé les représentants du personnel. Ceux-ci avaient violemment dénoncé la direction, l'accusant de les exploiter de manière éhontée, de les sous-payer, allant jusqu'à la taxer de discrimination raciale.

Le jour même, les ouvriers s'étaient mis en grève

et avaient occupé les locaux. La direction menaçait maintenant de fermer l'usine. Des actions en justice avaient déjà été engagées par les deux parties. Ali Jassim menaçait sérieusement d'arrêter Bruce, qu'il tenait pour responsable de cette escalade.

Sarah se dit que la journée qui l'attendait ne serait pas de tout repos. Après avoir raccroché, elle envoya Bashir chez elle lui chercher la tenue la plus légère qu'elle possédait : une robe décolletée, sans manches, en crêpe Georgette gris, ainsi que son collier de perles et des escarpins.

Il faisait trente-cinq degrés à l'ombre quand, à dix heures, elle accueillit Bruce et Cynthia sur le perron de l'ambassade. Bruce arborait une tenue de brousse, agrémentée de multiples boucles et de poches. Son inséparable canne constituait la touche finale de cet ensemble qui ne devait pas passer inaperçu. Sarah le complimenta en l'embrassant.

— Quelle élégance ! fit-elle.

Bashir, quant à lui, les salua et se retira immédiatement pour aller chercher des rafraîchissements.

— Grand Dieu ! J'espère ne pas avoir indisposé ce jeune homme, s'esclaffa Bruce.

— Bashir est très pointilleux. Votre tenue coloniale et votre canne ont dû l'impressionner.

Comme il faisait chaud dans le patio, Sarah les invita à la suivre à l'intérieur. Elle offrit un siège à Cynthia qui, elle au moins, portait une tenue appropriée : un short et un débardeur.

— Mieux vaut un grand type avec une canne qu'un dictateur avec une cravache, remarqua-t-elle.

La jeune femme se saisit d'un cendrier et alla s'asseoir sur le rebord de la fenêtre en croisant haut les jambes. Elle alluma négligemment une cigarette.

— Cette chaleur me tue. Alors, racontez-nous un peu vos aventures, madame Southerland, on ne parle que de cela à Orban.

Sarah éclata de rire puis comprit au regard que lui lança Bruce que Cynthia ne plaisantait pas.

— Ah non, il n'en est pas question ! Je n'ai pas pu empêcher la presse d'en parler, mais je m'oppose formellement à ce que la télévision reprenne l'histoire.

— Pas de fausse modestie, Sarah. On ne refuse pas une publicité pareille, intervint Bruce.

— Je n'en ai que faire ! rétorqua Sarah.

Cynthia la regarda, étonnée. Sa réaction dépassait son entendement. Elle ne pouvait même pas imaginer que l'on puisse se refuser à exploiter une telle succession d'événements.

— Ignorez-vous le parti que nous pourrions tirer de votre histoire contre ce chacal de Jassim ? Décrivez-nous l'homme qui vous a kidnappée. Vous dites qu'il a réussi à pénétrer ici même ? insista Bruce.

Quelle ironie du sort, pensa Sarah. En bon journaliste assoiffé de vérité, Bruce, avec sa caméra, traquait en fait, sans le savoir, son propre frère.

— Je suis désolée, mais je serai inflexible là-dessus. Je ne reviendrai pas sur ma décision. Pas d'interviews ! Racontez-moi plutôt ce que Jassim a dit.

— Figurez-vous que ce prétentieux m'a accusé d'avoir organisé un coup monté. Rien que ça ! dit Bruce en ponctuant son discours de coups de canne rageurs. Comme si j'allais délibérément faire enlever ma propre belle-sœur !

Dans l'intervalle, Bashir était revenu. Il faisait le service avec sa discrétion coutumière. Tout d'abord

Sarah ne lui accorda aucune attention mais lorsqu'elle croisa son regard, elle comprit qu'il se passait quelque chose.

Elle se composa un sourire de circonstance quand Bruce porta un toast, puis, se penchant discrètement vers Bashir, elle lui demanda un cocktail de jus de fruits.

— Madame, murmura-t-il à son oreille.

— Qu'y a-t-il ?

— Des ennuis.

— J'ai bien compris... dıtes.

— Ici je ne peux pas...

Elle coupa la parole à Bruce.

— Excusez-moi. Je dois m'absenter quelques instants. J'ai un petit problème à régler.

Bruce sentit son instinct de reporter en alerte.

— Vraiment ? Puis-je vous être utile ?

— Non, non, ce n'est rien. Mais il faut que je vous quitte un instant.

— Auriez-vous quelque difficulté ? reprit celui-ci. Vous avez un drôle d'air.

— Ce n'est rien ; c'est le vent de sable qui met les nerfs à vif.

Souriante, elle s'éclipsa.

— Je reviens tout de suite.

Ni Bruce ni Cynthia ne la crurent une seconde. Elle eut soudain le pressentiment de ce qu'allait lui annoncer Bashir.

— Il est ici, Madame.

Sa gorge se noua.

— Dans la cour. Vite, Madame !

Bashir l'entraîna précipitamment le long du patio et s'arrêta devant la porte d'un vieux cellier recouvert de vigne vierge.

— Ici ? demanda-t-elle, le cœur battant à tout rompre.

— Il a refusé d'entrer dans les salons. J'ai pensé

qu'il serait en sécurité ici. Je ne voyais pas d'autre endroit où le cacher.

Sarah pénétra dans le cellier. Après le soleil aveuglant du dehors, elle ne distinguait rien dans cette pénombre humide. En tâtonnant, elle chercha l'interrupteur, mais au moment où elle allait allumer, une main l'en empêcha.

— Sarah ? fit la voix d'Andrew.

— Que se passe-t-il ?

Andrew s'avança dans le rai de lumière qui filtrait par la porte entrouverte. Il avait changé son treillis pour un complet d'été en lin couleur crème, avait desserré sa cravate et ouvert le col de sa chemise.

— Mais tu es blessé ! s'exclama Sarah.

Jetant un coup d'œil inquiet dans le patio, il lui fit signe de se taire. Bashir referma la porte sur eux et Andrew alluma la lumière. Il ôta aussitôt sa veste. Son bras blessé pendait, inerte.

— Que t'est-il arrivé ?

— Rien de très grave. Il faut simplement réduire la fracture.

— Oh, Andrew... murmura-t-elle en le débarrassant de sa veste.

S'adressant à Bashir, il lui ordonna :

— Apportez-moi des linges, des bandes et quelque chose d'assez solide pour faire une attelle, et puis à boire aussi, si cela ne vous ennuie pas trop...

— Bien, Monsieur.

Bashir rajusta ses lunettes et, pour la première fois depuis que Sarah le connaissait, sortit sans s'adresser à elle.

Après tous les moments d'angoisse qu'elle venait de vivre, son inquiétude fit place à la colère.

— Dans quel pétrin es-tu encore allé te fourrer ? Décidément, pourquoi faut-il que tu coures au-devant du danger chaque fois que j'ai le dos tourné !

— Enfin, Sarah...

— Estime-toi encore heureux que je ne te dise pas tout ce que j'ai sur le cœur. Vas-tu enfin m'expliquer ce qui s'est passé ?

— Crois-tu que ce soit vraiment le moment ? dit-il en serrant les dents tandis que Sarah lui relevait le bras de sa chemise.

Il souffrait plus qu'il ne voulait l'admettre. N'écoutant que son instinct, elle prit sa tête entre ses mains.

— Andrew, fit-elle, il va bien falloir qu'un jour l'un de nous finisse par céder.

Il lui passa son bras valide autour de la taille et, effleurant ses cheveux de ses lèvres, il soupira :

— C'est bon, je capitule.

Elle l'observait intensément.

— Quand est-ce arrivé ?

— Très tôt ce matin.

— Il y a un rapport avec Marek ?

— Non, enfin... si. J'ai appelé sa femme la nuit dernière, après t'avoir quittée. A ce propos, j'ai failli avoir une attaque en retournant là-bas quand j'ai vu que tu avais disparu dans la nature...

— Une patrouille est partie avec le camion mais n'essaie pas de m'attendrir avec tes états d'âme. Moi aussi j'ai bien cru que j'allais avoir une attaque, cachée dans les bois ! Et puis ne change pas de sujet !...

— La femme de Marek a reçu un coup de téléphone anonyme avant-hier soir, lui annonçant que celui-ci avait été arrêté mais qu'il avait finalement réussi à s'échapper. Elle est restée sans nouvelles de lui pendant vingt-quatre heures, jusqu'au moment où elle a appris qu'il était détenu à la Colonie. Du moins c'est ce qu'elle a prétendu au téléphone. Elle a ajouté qu'on la retenait prisonnière chez elle et m'a supplié de venir la chercher.

Sarah ferma douloureusement les yeux. La Colonie était un camp d'internement dont on ne ressortait que très difficilement.

— En fait, c'était un piège, continua Andrew. On avait forcé la femme de Marek à me raconter cette fable. Et quand je suis arrivé chez elle, des hommes m'ont agressé. Inutile de faire un dessin.

Elle imaginait très bien ce qui s'était passé.

— Et dire que c'est moi qui avais ton pistolet, articula-t-elle, pleine de remords.

— Tu sais, de toute façon, à dix contre un, pistolet ou pas, la partie était inégale.

Andrew eut alors une violente quinte de toux. Sarah eut toutes les peines du monde à le soutenir.

— Ne parle plus, maintenant. C'est trop fatigant. Ici tu es en sécurité. Pour le moment en tout cas... Je vais faire venir un médecin.

Andrew fit un effort pour grimacer un sourire.

— Je suis médecin, Sarah.

— Tu peux réduire cette fracture toi-même ?

— Non, mais toi tu peux sûrement.

— Moi ? Il n'en est pas question. Je ne saurai pas m'y prendre, et de toute façon, je ne veux même pas en entendre parler !

— Je te dirai exactement comment tu dois procéder.

— Ecoute-moi bien, Andrew Southerland. On n'est plus au temps des pionniers. Tu ne t'imagines tout de même pas que je vais m'amuser à triturer ton bras. Pendant que tu y es, tu ne veux pas que je te donne aussi une balle à mordre pour t'empêcher de crier ? Non, je vais appeler un vrai médecin qui te donnera des antibiotiques et...

— C'est d'accord.

Andrew lui caressa tendrement les cheveux. Pour une fois il semblait heureux de s'en remettre à elle.

— Tout va s'arranger. Prends-moi juste un moment dans tes bras.

A ce stade, Sarah savait que quels que soient les sentiments qu'Andrew nourrissait envers elle, elle était prête à tout lui pardonner.

Bashir avait l'air de s'y connaître en matière de blessures et de soins, ce qui n'étonnait Sarah qu'à moitié. En revanche, qu'il ait l'air de saisir parfaitement la situation délicate dans laquelle Andrew se débattait la surprit davantage. Andrew lui aurait-il fait plus de confidences qu'à elle ?

Ignorant Sarah, Andrew questionna longuement Bashir sur les horaires des patrouilles qui surveillaient le secteur, sur le nombre d'hommes en faction à l'ambassade. Celui-ci lui apprit qu'il y avait quatre gardes qui assuraient la surveillance.

— Je connais quelqu'un qui pourrait vous soigner, dit Bashir après avoir répondu à ses questions. Il n'est pas médecin, il se fait payer très cher, mais il est discret.

— C'est un médecin qu'il nous faut, insista Sarah. Trouvez-en un vite ! Peu importe le prix !

— Non, pas à n'importe quel prix ! rectifia Andrew.

— Je crois que tu ferais mieux de te taire, s'écria Sarah.

Avec autorité, elle s'adressa à Bashir.

— Andrew ne peut pas rester ici. Il faudra le conduire dans mes appartements.

— Il vaudrait mieux attendre la nuit, Madame. Pour l'instant, je vais le cacher dans un des salons.

— C'est pour moi ? demanda Andrew en désignant la bouteille qu'avait apportée Bashir.

Sarah lui tendit un verre. Puis elle recommanda à Bashir de servir à manger à Bruce et à Cynthia avant d'aller chercher le médecin.

— Bien, Madame, j'y vais tout de suite après. Mais il voudra être payé à l'avance.

Andrew sortit immédiatement une liasse de billets de son portefeuille et les tendit à Bashir.

— Voici un acompte. Il touchera le reste quand il m'aura soigné.

Bashir sortit après les avoir salués. Sarah aida Andrew à se lever et lui posa sa veste sur les épaules. Elle comprit alors seulement à quel point ces derniers événements l'avaient éprouvé. De peur de se faire surprendre, ils retinrent leur souffle en passant devant le salon où attendaient Bruce et Cynthia.

Elle installa Andrew dans un salon voisin et tira les rideaux. Elle le cala le plus confortablement possible contre des coussins.

— Depuis combien de temps n'as-tu pas dormi ? demanda-t-elle.

— Cela fait une éternité.

Andrew avait l'air exténué.

— Ecoute-moi bien, reprit Sarah ; désormais, quoi qu'il arrive, quoi que nous ayons à faire, nous le ferons ensemble. A partir de maintenant nous formons une équipe, tous les deux. C'est bien compris ?

Andrew acquiesça en souriant.

— Cela ne va pas te plaire.

— Je ne suis plus une enfant.

Andrew savait qu'il pouvait compter sur elle. Plus qu'aucune autre femme, elle alliait la tendresse et la détermination.

— Marek jouait un rôle occulte très important dans le gouvernement de Naḥrhim. S'il n'avait pas réagi aussi vite, il aurait été l'un des premiers à être jetés en prison par Jassim après le coup d'Etat. Peux-tu me resservir à boire ?

Tandis qu'ils parlaient, la porte s'ouvrit doucement dans leur dos.

— Posez le plateau sur la table, Bashir, dit Sarah sans se retourner. Au fait, Andrew, il y a une chose que je voulais te dire avant que tu ne fasses quoi que ce soit... Bruce est ici.

— A l'ambassade ?

— Il m'attend à côté. Il va bien falloir que je lui fournisse une explication.

— Oh ! Je me contenterai de la vérité, lança Bruce d'un ton uni depuis le pas de la porte. Je commence à croire que la réalité dépasse la fiction.

Il eut un rire désenchanté.

Pétrifiée, Sarah se redressa lentement. Elle se sentait comme un voleur pris sur le fait. La présence de Cynthia Hymes, avec ses coups d'œil inquisiteurs de journaliste, n'arrangeait rien.

— Mais dites-moi, je rêve ! Encore un Southerland ! dit-elle d'un ton ironique.

Sarah sortit du salon pour s'assurer qu'aucune autre mauvaise surprise ne l'attendait dans le couloir. Bruce croisa les bras et releva agressivement le menton en fixant Andrew.

— Pour ce qui est de la confiance qu'on me témoigne ici, ce n'est même pas la peine d'en parler, dit-il en évitant volontairement de regarder Sarah. Mais franchement, Andrew, te rends-tu seulement compte des tourments que tu infliges à mère avec tous tes mystères ? Laisse-moi te dire une chose, Andrew. Cela fait trois ans que toute la famille te traite de bon à rien. Je t'ai défendu contre vents et marées. Mais tu peux être sûr qu'en rentrant je leur ferai mes excuses !

Andrew jura tout bas, et malgré la douleur, fit mine de se lever.

— Ne bouge pas, Andrew, dit Sarah d'un ton sans réplique. Quant à vous, Bruce, je sais que vos relations avec Andrew ont été plutôt tendues ces derniers temps. J'aurais préféré que vous ignoriez la présence de votre frère à Orban, mais maintenant que vous êtes au courant, autant que vous sachiez qu'il est blessé !...

Bruce regarda Andrew d'un air incrédule. Il souleva la veste qui dissimulait son bras meurtri et le contempla avec stupéfaction.

— Mon Dieu, mais ce que vous dites est vrai !

— Ne te laisse pas impressionner, Bruce. Après tout, la violence te fait vivre !

Les mains tremblantes sous le coup de l'émotion, Bruce sortit sa pipe de sa poche.

— Incroyable ! Je pense déjà aux manchettes des journaux.

Avec un sourire ravageur il glissa sa pipe entre les lèvres.

Andrew pointa un doigt accusateur en direction de son frère.

— Bruce, laisse-moi te dire le fond de ma pensée. Toi et ta fichue caméra, vous allez réussir à déclencher une guerre civile, ici. Ton petit numéro d'agitateur à l'Amalgamated Textiles a déjà provoqué assez de remous ! Si tu veux mon avis, tu ferais mieux de rentrer aux Etats-Unis avant que Jassim ne te fasse arrêter...

— Ecoute, mon vieux...

Les deux hommes étaient rouges de colère et sur le point d'en venir aux mains.

— On dirait qu'ici aussi c'est la guerre civile ! coupa Sarah. Comme fauteurs de troubles, vous vous valez bien tous les deux, n'est-ce pas, Andrew ? lança-t-elle... Et maintenant, cesse de t'agiter ainsi.

— Au cas où vous l'auriez oublié, je vous rappelle que cet homme est blessé ! dit Cynthia.

Sarah lui adressa un regard reconnaissant.

— Merci, dit-elle. D'ailleurs, j'ai envoyé chercher

quelqu'un pour le soigner. Ce n'est pas vraiment un médecin, mais il est très habile.

— On peut voir votre bras ?

Fort intéressée, Cynthia s'approcha d'Andrew.

— Je vous en prie.

Déplaçant un halo de fumée bleutée, Bruce arpentait rageusement la pièce.

— D'accord, Andrew, dit-il. Je dois reconnaître que je ne pensais pas que les choses iraient si loin à l'Amalgamated Textiles. Mais, bon sang, tout le monde a l'air tellement soucieux d'étouffer l'affaire !

— Vu les circonstances, c'est ce qu'il y a de mieux à faire pour l'instant, rétorqua Andrew.

— Bon, je n'insisterai pas... Mais tout cela ne me dit pas pourquoi tu es à Orban. Tu pourrais t'expliquer, tout de même. De quoi s'agit-il ? De trafic d'armes ? De marché noir ?...

Sans répondre, Andrew lança un regard soupçonneux à Cynthia.

— Qui êtes-vous ?

— Je suis une consœur de Bruce.

— Elle est reporter, confirma Sarah.

Pleine de sollicitude, elle tendit un verre de vin à Andrew.

— Nous avons le droit de savoir, insista Bruce. On risque d'avoir la police sur le dos d'un moment à l'autre.

— Mais non, ils ne vous inquiéteront pas.

Andrew avala son verre d'un trait, tandis que Bruce lâchait un juron.

— Décidément il ne manquait plus que ça ! Moi je te dis qu'on va avoir des démêlés avec la justice d'Orban, tu verras !

— Ce ne sont pas des mercenaires qui vont faire la loi.

Bruce ricana. Sarah posa la main sur le front

d'Andrew où perlaient des gouttes de sueur. Elle se tourna vers Cynthia.

— Je regrette que vous soyez mêlée à cet épisode. Mais puisque vous êtes là, pourriez-vous aller me chercher un peu de glace ? lui demanda-t-elle. Ne soufflez pas un mot de la présence d'Andrew. Personne n'est au courant. Dites que...

— Ne vous en faites pas. Je saurai bien me débrouiller, coupa Cynthia, pleine de bonne volonté. Vous devriez avoir honte, glissa-t-elle à Bruce en sortant de la pièce.

— Qu'est-ce que j'ai encore fait ? interrogea Bruce, d'un air innocent.

— Tu le demandes ? maugréa Andrew.

Bruce se tourna vers Sarah qui réconfortait Andrew de son mieux.

— Vous le dorlotez, le misérable ! Vous avez raison. Il ne manquerait plus qu'on se retrouve avec un cadavre sur les bras !

Andrew semblait apprécier les attentions dont l'entourait Sarah. Alors qu'elle se penchait vers lui pour arranger les coussins dans son dos, il l'attrapa par la taille et lui murmura à l'oreille :

— Ne sois pas inquiète. On ne meurt pas d'un bras cassé, tu sais.

Cherchant à dissimuler son anxiété, elle lui passa gentiment la main dans les cheveux et lui dit en souriant :

— Tu devrais peut-être songer à te reconvertir, Andrew. Trouve-toi un métier moins dangereux...

— Maintenant que tu m'en parles, j'y pensais justement.

— Voilà qui me semble être une sage décision, murmura-t-elle.

Mais en son for intérieur, elle pensa qu'une fois de plus il faisait des promesses en l'air.

— Je pourrais peut-être reprendre mes études de

médecine, ce ne serait pas une mauvaise idée, après tout.

— Cela ferait certainement plaisir à ta mère.

Sarah regardait les longs doigts d'Andrew jouer sur son bras nu.

— Je pourrais rouvrir notre maison, dit-il. J'aurais de quoi m'occuper, elle est loin d'être aménagée.

— Il y a si longtemps qu'elle est fermée, murmura Sarah en frissonnant.

— Trop longtemps, tu veux dire.

— Enfin...

— Tu sais, quand je suis retourné te chercher cette nuit, ne te trouvant pas, j'ai regretté de n'avoir pas donné un cours différent à ma vie. J'ai regretté de ne pas avoir... planté un arbre... Si jamais j'ai droit à une seconde chance, j'y penserai. Quel genre d'arbre aimerais-tu ?

— Un qui soit solide, dit-elle d'une petite voix émue, et qui vive très longtemps...

— Un chêne ?... Ou encore un érable... Ils sont très résistants et presque éternels... Qu'en penses-tu ?

Attendri, Andrew lui prit la main.

Sarah avait la gorge nouée par l'émotion. C'était une façon si touchante d'implorer son pardon... Jamais il ne lui avait parlé ainsi auparavant.

Bouleversée par cet élan de tendresse, elle se sentait désarçonnée quand on frappa à la porte.

Cynthia fit son entrée, suivie de Bashir et d'un homme de petite taille. Sa démarche avait quelque chose d'affecté. Il tendit cérémonieusement la main à Sarah. Il arborait une expression catastrophée. Bashir fit les présentations.

— Henri Detaille, madame dit-il. Mais je dois tout de suite vous annoncer une très mauvaise nouvelle. C'est au sujet du colonel... Il va arriver à l'ambassade d'une minute à l'autre. C'est épouvantable !...

Bruce s'étrangla tandis qu'Andrew s'affaissait sur le divan.

— Seigneur ! gémit-il.

— Qu'allons-nous faire ? fit Sarah.

Elle les regarda tour à tour d'un air traqué.

L'ambassade jouissait évidemment de l'extraterritorialité diplomatique, mais Ali Jassim n'hésiterait pas à la faire investir par ses hommes s'il soupçonnait Sarah de ne pas avoir respecté les termes de leur pacte d'honneur en cachant délibérément un suspect.

Bruce s'approcha vivement de Sarah et lui prit les mains.

— Sarah, écoutez-moi. Si vous ne voulez pas qu'Andrew finisse à la Colonie, il faut gagner du temps. Vous êtes la seule qui puisse faire quelque chose.

Il a malheureusement raison, songeait-elle. Il lui faudrait encore feindre, mentir, si elle voulait sauver l'homme qu'elle aimait.

Andrew poussa un cri de douleur lorsque Henri Detaille entreprit de l'examiner.

— Qui êtes-vous ? demanda-t-il.

— Henri Detaille, monsieur. Ne craignez rien, j'ai une certaine expérience de ce genre de fractures. Mais d'abord cessez de vous agiter comme ça.

— Je suis parfaitement calme, rétorqua Andrew. J'aimerais seulement savoir comment vous allez procéder.

Henri Detaille leva les yeux au ciel. Lui-même était passablement énervé. Il se remettait difficilement de la frayeur qu'il avait eue en croisant le colonel Jassim alors qu'il se rendait à l'ambassade en compagnie de Bashir.

— Faites quelque chose, madame, dit-il d'un ton suppliant.

— Pour un docteur, tu fais un bien piètre patient ! ironisa Bruce.

— Comment ? Vous êtes docteur... en médecine ? s'exclama Henri Detaille.

— Et alors ? rétorqua Andrew.

— Dans ce cas, le problème est résolu, monsieur. Réduisez vous-même votre fracture.

— Je vous paye assez cher ! Vous allez me faire le plaisir de me soigner tout de suite. Et vite... Qu'avez-vous dans votre trousse contre la douleur ? De la novocaïne ?

Detaille leva les bras au ciel.

— Vous ne pensez tout de même pas que j'allais entrer dans une pharmacie pour acheter des narcotiques ? Jassim l'aurait su dans l'heure qui suit.

Il se lança dans une grande tirade en français sur l'ignorance sans fond des étrangers avant de poursuivre :

— Ecoutez-moi bien, reprit Detaille. Je n'ai pas demandé à venir ici, surtout pour soigner un médecin.

Il se tourna alors vers Bruce.

— Voilà, monsieur. Je vais vous expliquer comment réduire cette fracture. Vous, vous êtes américain, Jassim réfléchira à deux fois avant de vous arrêter.

Sarah lui adressa son plus beau sourire.

— Je vous en prie, dit-elle. Nous sommes prêts à vous récompenser largement. Je vous promets qu'il se laissera faire... Il faut que j'aille parler au colonel Jassim, maintenant.

Profitant de ce que Detaille avait le dos tourné, Andrew fouillait sans vergogne dans sa trousse.

— Il doit bien y avoir de la novocaïne, là-dedans, maugréait-il à voix basse.

128

Outré, Detaille lui arracha sa trousse des mains.

— Ne vous gênez surtout pas !

— Allons, vous n'avez même pas du Demerol ?
Non ?

Henri fit un signe de dénégation.

— De la codéïne ?

— Non plus.

— De la marijuana, peut-être ?

— Monsieur ! s'indigna Detaille.

Andrew se renfrogna et réfléchit un instant.

— De l'aspirine, alors ?

Le visage de Detaille s'éclaira enfin.

— Voilà !

Andrew se rassit en grognant.

— Pouvez-vous veiller à ce que tout se passe bien
entre eux ? fit discrètement Sarah à Bruce avant de
sortir.

— Ne vous inquiétez pas. Après quelques verres
de whisky, il ne sentira plus rien. Allez-y et faites de
votre mieux avec Jassim.

Bashir attendait Sarah à la porte. Elle redressa
courageusement les épaules et se recoiffa devant
une psyché. Elle effaçait un pli de sa robe, quand
Cynthia lui tendit un tube de rouge à lèvres.

— Tenez, lui dit-elle, éblouissez-le !

Sarah lui lança un regard reconnaissant. Ainsi,
les féministes ne répugnaient pas à jouer de leur
charme, à l'occasion, pensa-t-elle. Elle se peignit
soigneusement les lèvres. C'était un joli rouge
corail. Puis se tournant vers Andrew, elle s'inquiéta :

— Tout va bien ?

— Je ne pourrais être en de meilleures mains,
ironisa-t-il.

Cynthia rattrapa Sarah au moment où elle quittait la pièce.

— Qu'allez-vous faire ?

Les mains de Sarah tremblaient un peu. Elle réfléchit, puis lui jeta un regard de complicité féminine.

— Ce que les femmes ont fait de toute éternité...

Cynthia lui donna une tape amicale sur l'épaule.

— Courage !

Chapitre 8

— Tout cela est dangereux! Extrêmement dangereux!

Bashir répétait désespérément ces mots en escor-
tant Sarah jusqu'au bureau où elle allait recevoir le
colonel Jassim.

— N'oubliez pas que Jassim en veut terriblement à Bruce Southerland et qu'en plus il m'a vu
avec le Français. Il a des dents de requin quand il le
veut, d'autant qu'il se doute de quelque chose,
maintenant.

— Je le sais bien.

— Madame devrait repousser cette entrevue.
Voyez-le demain ou la semaine prochaine. D'ici-là,
Dieu aura peut-être permis à quelqu'un d'assassi-
ner Jassim.

— Bashir!

— Laissez-moi lui parler. Je ne connais personne
qui sache mieux mentir que moi. Je lui dirai que...

Sarah le fit taire d'un regard.

— Tout ce que je vous demande, Bashir, c'est de
veiller à ce que rien ni personne ne vienne gêner
M. Detaille pendant qu'il soigne Andrew.

— Mais, Madame, gémit-il, Ali Jassim peut très
bien décider de fouiller l'ambassade!

Pensait-il vraiment qu'elle n'en était pas
consciente? Sarah s'arrêta devant le bureau et

appuya le front contre la porte. Elle était prête à tout pour sauver Andrew.

Que se passerait-il si elle ne parvenait pas à convaincre le colonel ? Il risquait d'investir l'ambassade sur-le-champ, avant même qu'Andrew n'ait pu s'enfuir.

Elle s'exhorta au calme.

— Si les hommes de Jassim pénètrent dans l'ambassade, cela réglera définitivement la question, Bashir...

Bashir blêmit.

— Permettez-moi de rester. Madame va avoir besoin de moi.

— Vous ne me croyez pas capable de m'en tirer toute seule ?

— Il est vrai que Madame ne sait pas très bien mentir, répondit-il avec une grimace.

— C'est ce que vous croyez, rétorqua Sarah en relevant la tête d'un air de défi.

Elle ouvrit toute grande la porte du bureau et alla aussitôt à la fenêtre. Elle vit Jassim franchir à grands pas la grille de l'ambassade, escorté par un garde.

Sarah caressa les perles de son collier comme pour conjurer le mauvais sort.

— Maintenant, Bashir, si vous ne voulez pas causer notre perte, allez accueillir le colonel et montrez-vous flatteur à souhait.

— Oh ! Madame ! Je n'y arriverai jamais !

— Bashir !

Il se dirigea vers la porte après un dernier regard implorant.

— Allez ! lui dit Sarah.

— N'oubliez pas que les yeux aussi doivent savoir mentir...

Sarah referma la porte derrière lui. Il fallait qu'elle se ressaisisse avant d'affronter le colonel.

Une rude partie de poker l'attendait. Elle n'avait jamais joué aussi serré.

Elle devait parfaitement connaître ses atouts. Tout d'abord, même si Jassim savait qu'Andrew s'était rendu chez Marek, il ne connaissait pas pour autant sa véritable identité. Par ailleurs, Jassim ne soupçonnait pas, du moins elle l'espérait, la présence d'Andrew à l'ambassade. En revanche, il devait être au courant de la visite de Bruce, les gardes avaient dû le prévenir.

Sarah allait tout entreprendre pour défendre Andrew. Et puis Ali Jassim éprouvait une certaine attirance pour elle parce qu'elle avait osé lui tenir tête. Il fallait qu'elle en joue le plus possible...

Elle sentait croître son appréhension. Elle promena son regard autour d'elle afin de vérifier si la pièce était parfaitement en ordre : les cigarettes américaines dans un étui d'argent, la boîte de cigares de La Havane sur la table basse. Par précaution, elle rangea la liste des ressortissants américains devant être rapatriés. Pour finir, un dernier coup d'œil à son miroir la rassura.

Bashir fit entrer le colonel Jassim.

— Colonel ! dit-elle en lui tendant la main.

Elle espérait que son sourire ne trahissait pas son inquiétude.

Ali Jassim remplissait la pièce de sa seule présence. Il ne portait plus de treillis mais un uniforme d'apparat surchargé de galons et de médailles. Il émanait de toute sa personne une telle volonté de pouvoir que Sarah l'aurait très bien imaginé tenant un fouet plutôt qu'une cravache.

— Madame !

Il la dévisagea avec des yeux inquisiteurs.

— Auriez-vous oublié notre rendez-vous ?

Elle joua nerveusement avec son collier, feignant la confusion.

— J'y ai pensé toute la matinée, mais malheureusement j'ai été retardée. Je vous en prie, installez-vous! Il fait si lourd, pensez-vous que nous allons avoir de l'orage?

Jassim traversa la pièce et se posta devant la fenêtre. Les mains derrière le dos, il observa les nuages menaçants.

— Sans aucun doute, répondit-il.

Il se tourna lentement vers elle.

— Auriez-vous peur de l'orage, Sarah Southerland?

Elle sourit.

— Non, pas vraiment.

— Vous n'avez donc aucune petite faiblesse?

Sous l'œil aigu de Jassim, elle rougit.

— Bien sûr que si, répondit-elle; mais je n'ai rien à redouter de l'orage!

Bashir s'approcha de Jassim pour lui prendre son képi. Au lieu de le lui donner, il congédia le jeune homme d'un geste et le tendit à Sarah.

Elle pensa qu'il la mettait à l'épreuve en ne sacrifiant pas au protocole. D'une main tremblante, elle prit le képi et le posa sur son bureau. Elle savait que Jassim ne la quittait pas des yeux. D'un signe, elle ordonna à Bashir de se retirer.

— J'ai aperçu votre homme de confiance en arrivant, dit Jassim après le départ de Bashir. Lui et son compagnon semblaient bien pressés. Je me suis demandé ce qui pouvait bien faire courir ainsi Bashir id-Nasaq?

Sarah éluda la question.

— Bashir veille à tout. Il craignait que je n'aie oublié notre rendez-vous et il se dépêchait pour que j'aie le temps de me préparer. Mais comme vous voyez, il n'a pas réussi à s'acquitter de sa tâche.

— Croyez-vous? Je ne m'attendais pas à vous trouver si élégante. Madame, vous avez l'art et la manière... Etes-vous gênée si je vous parle de la sorte ?

Elle rit.

— En fait, un petit peu, oui... Mais asseyez-vous donc.

Jassim, visiblement, appréciait sa façon de réagir. Il traversa le salon de son allure pleine d'arrogance, conscient de sa séduction, et s'assit dans le canapé en prenant bien soin de ne pas froisser le pli impeccable de son pantalon. Il lui sourit et, du bout de sa cravache, désigna la place auprès de lui.

— Asseyez-vous à côté de moi, madame... Que je puisse voir vos yeux.

Sarah s'installa à l'autre bout du canapé. Quelle carte cachait-il donc dans sa manche ? Elle ouvrit la boîte de cigares.

— Vous pouvez fumer, si vous voulez.

Il prit un cigare et le huma avec délices.

— Je m'offre rarement ce plaisir. C'est une question de principe. Je trouve malhonnête de demander à mon peuple de renoncer à certaines choses que je m'autorise à moi-même.

— Fumer un bon cigare serait donc une concession à l'ennemi ?

— Je penserais plutôt à Samson succombant aux charmes de Dalila.

Il coupa l'extrémité du cigare et Sarah lui tendit du feu.

— En tout cas, ce cigare nous vient de Fidel Castro, pas de Dalila, dit-elle d'un ton léger.

Jassim lui lança un regard pénétrant à travers la flamme. Soudain Sarah prit peur. Tandis qu'il souriait d'une manière indéfinissable, il se cala confortablement dans le canapé.

Elle voyait l'étau se resserrer.

— Dites-moi pourquoi Bruce Southerland se conduit de manière aussi ridicule ? reprit-il.

Sarah se sentit infiniment soulagée, elle s'était préparée à cette question. Elle lui expliqua les raisons qui poussaient Bruce à agir ainsi.

— Il n'est pas en guerre, lui. Il fait simplement son métier de journaliste, quel que soit le pouvoir en place.

— Ses motivations m'importent peu. Une chose est sûre. Certains de mes partisans ne sont pas aussi indulgents que moi envers les Américains. Si je les écoutais, on vous renverrait tous chez vous sans plus de cérémonie. Alors dites-lui d'arrêter ce petit jeu-là.

— Si je comprends bien, vous ne souhaitez pas qu'il fasse la lumière sur cette affaire ?

— S'il continue, il me forcera à prendre contre lui des mesures que nous pourrions tous deux déplorer.

— Je ne peux pas vous promettre qu'il s'en tiendra là.

Jassim lui jeta un regard lourd de menaces.

— N'essayez pas de profiter de cette période troublée, Sarah Southerland, vous pourriez le regretter.

Sarah dut admettre qu'il venait de marquer un point.

— Je ferai de mon mieux, dit-elle le plus suavement possible.

Elle alla chercher une bouteille de vodka de très grande marque et prit deux verres en cristal de Bohême dans une vitrine. Elle se rendait compte qu'elle avait choisi une mauvaise stratégie. Ce que Jassim aimait en elle, c'était son esprit combatif. Elle se retourna brutalement vers lui.

— Quelle est la véritable raison qui vous amène ici ? lui demanda-t-elle sans préambule. Vous n'avez pas besoin de moi pour jouer les intermédiaires entre vous et Bruce. Je ne crois pas non plus que vous vouliez savoir comment j'ai surmonté le choc de mon enlèvement ? Que voulez-vous, Ali Jassim ?

Cette tactique s'avéra être la bonne. Jassim se leva et se rapprocha lentement en promenant un regard admiratif sur elle. Voyant qu'elle tremblait, il lui prit la bouteille des mains.

— Permettez-moi de vous servir, dit-il.

Sans se départir de son impassibilité, il lui tendit son verre puis resta quelques instants plongé dans ses pensées.

— A votre avis, madame, quelle raison avait-on de vous kidnapper ? Cette question n'a cessé de me tourmenter depuis votre enlèvement.

Debout devant la fenêtre, Sarah buvait une gorgée de vodka.

— Pour vous atteindre peut-être...

— Pour m'atteindre ?

— Vous n'en êtes peut-être pas persuadé, mais il y a quantité de gens dans ce pays prêts à tout pour donner de vous l'image d'un barbare.

— Oh ! Vous ne manquez pas d'audace, Sarah Southerland !

La prenant par les épaules, il l'attira à lui.

— Je ne connais pas beaucoup de femmes qui oseraient me parler ainsi... Mais dites-moi donc ce que vous pensez vraiment.

— Je pense, colonel Jassim, que vous ne reculerez devant rien pour obtenir ce que vous voulez, répondit-elle, la gorge serrée.

— Qu'est-ce à dire ?

— Je vous imagine prêt à tout.

Il haussa les sourcils.

— Même pour vous séduire, madame ?

Sarah se sentit en danger. Les secondes qui s'écoulèrent furent les plus longues de sa vie. Elle pensa qu'il allait l'embrasser. Mais il n'en fit rien.

Pour toute réponse, elle se contenta de lui adresser un bref regard. Jassim la lâcha et but sa vodka d'un trait. Il se força à se ressaisir.

— Savez-vous ce que je crois ? lui demanda-t-il.

— Comment pourrais-je le savoir ?

— Je jurerais que vous avez été kidnappée.

Sarah releva brusquement la tête, puis se détourna pour cacher sa surprise. Elle se força à boire une gorgée de vodka.

— Voulez-vous connaître ma version des faits ?

C'était ce qu'elle redoutait le plus au monde ! Rassemblant tout son courage, elle fit un signe affirmatif.

— Je pense que l'homme qui est venu vous chercher était un habitant d'Orban, mais qu'il l'a fait pour le compte de quelqu'un d'autre. Un Américain... Je ne suis pas loin de croire qu'il est revenu en ville. D'ailleurs on l'aurait vu chez une femme.

Une peur panique s'empara de Sarah.

— J'ai bien peur de ne pas comprendre.

— Vraiment ! Alors laissez-moi vous expliquer... L'homme qui vous a enlevée était un agent du président Nahrhim, Marek Abdullah, un des meilleurs conseillers de Nahrhim.

Le visage de Sarah se crispa.

— Il opérait en liaison avec un espion américain, poursuivit Jassim. Nous ignorons l'identité de cet homme mais nous le connaissons de réputation. C'est un agent remarquable. Il est, paraît-il, très fort en informatique et capable en une nuit de tirer assez d'informations d'un ordinateur pour neutraliser les défenses d'un pays. Evidemment je crois que c'est exagéré, mais cet Américain est quelqu'un de tout premier ordre.

Ces révélations ébranlaient les convictions les

plus intimes de Sarah, mais en fait, tout concordait.

« Marek et moi, nous avons travaillé ensemble », lui avait dit Andrew...

Elle voulut sourire, mais elle en était incapable.

— Je... enfin... articula-t-elle péniblement.

Jassim la regardait fixement.

— C'est Marek Abdullah lui-même qui m'a donné toutes ces informations.

— Il a avoué ?

— Vous en doutiez ?

— Et vous pensez...

— Je ne pense pas, Sarah Southerland, je sais. On a vu cet Américain sortir de chez Marek avec sa femme. Marek et lui sont des espions, ils travaillaient ensemble. Il me faut cet homme, Sarah Southerland. Vous l'avez vu, vous lui avez parlé. Cela m'étonnerait fort que vous ne sachiez pas où il se trouve à l'heure actuelle.

Elle ne le savait que trop...

Sarah se demandait comment il lui avait fallu tant de temps pour comprendre. Mais ce n'était pas de sa faute, après tout. Quelle épouse douée de bon sens soupçonnerait son mari d'être un espion ?... Un coureur de jupons, peut-être. Un criminel ? Cette pensée lui avait déjà traversé l'esprit. Mais un espion ! C'était bon pour le cinéma ou dans les romans. Pourtant, maintenant qu'elle y repensait, mille détails auraient pu lui mettre la puce à l'oreille.

Elle alla à son bureau, réfléchit un instant. Il fallait qu'elle fasse très, très attention... La vie d'Andrew en dépendait.

— Vous n'avez pas tort, colonel, dit-elle, sur ses gardes. Marek m'a forcée à le suivre. Mais je ne savais pas du tout qui il était. Il est exact qu'il m'a amenée chez un Américain qui voulait me rapatrier aux Etats-Unis pour plus de sécurité. En fait, il nous a été impossible de quitter le pays et nous nous sommes séparés. Voilà toute l'histoire.

— Pas tout à fait, madame.

Sarah ferma les yeux. Jassim savait tout. Elle était perdue !

— Regardez-moi, Sarah Southerland.

Elle releva la tête.

— Vous mentez, lui lança-t-il d'un ton mordant. Vous le savez aussi bien que moi. Comment s'appelle-t-il ? Qui est cet étranger ?

— Je ne sais pas. Il était grand, plutôt bel homme.

— Environ un mètre quatre-vingt-dix, quatre-vingts kilos, cheveux noirs, barbu. C'est cela ? C'est bien cela, n'est-ce pas ?

C'était la première fois que Jassim perdait son sang-froid devant elle. Il était cramoisi, allant même jusqu'à la menacer du regard.

Elle se recroquevilla et ferma les yeux.

— Regardez-moi !

— Non !

Il la saisit aux épaules et la secoua violemment.

— Allez-vous me répondre, oui ou non ?

Elle se sentit soudain soulevée du sol et ouvrit grands les yeux. Le visage de Jassim était tout près du sien. Il la serrait à l'étouffer.

— Il y a des Américains dans cette ambassade et je veux connaître leur identité.

De fines gouttes de sueur perlaient sur le front de Sarah. Elle tremblait de tous ses membres.

— Cette ambassade jouit de l'immunité...

La colère de Jassim redoubla. Il la foudroya du regard puis la reposa sur le sol.

— Je n'ai que faire de vos menaces ! Je pourrais ordonner la destruction pure et simple de cette ambassade et vous ne pourriez pas m'en empêcher !

Elle se mordit la lèvre.

— Vous ne le ferez pas.

— Comment osez-vous affirmer une chose pareille ? Vous ne savez donc pas que je tiens votre vie entre mes mains, que je pourrais vous contraindre à me supplier à genoux ?

Sarah comprit que le moment était venu de se montrer plus forte que jamais.

— Non, rétorqua-t-elle, en lui lançant un regard de défi, jamais je ne me mettrai à genoux devant vous.

Jassim marcha lentement jusqu'au bureau et prit son képi. Il resta muet quelques instants. Pour rien au monde, il n'aurait voulu que sa voix trahisse son sentiment d'intense frustration.

— Comment se fait-il qu'une petite Américaine comme vous puisse me mettre des bâtons dans les roues ?

— Parce que, derrière le combattant impitoyable, il y a un homme sensible.

— Non !

— Mais si.

Jassim se dirigea vers la porte, puis se retourna.

— Comment osez-vous me parler ainsi ? demanda-t-il d'une voix radoucie.

Sarah avait percé son secret. Tout à coup, il ne lui inspirait plus aucune crainte.

— Je sais qu'au fond vous ne voudriez pas perdre mon estime à jamais...

Il glissa sa cravache sous son bras. Il savait qu'elle allait le raccompagner comme si de rien n'était. L'ironie de la situation ne lui échappait pas. Pour un peu, il aurait ri. Mais Jassim ne dérogeait jamais au protocole.

Une fois sur le perron, il lui dit, en martelant chaque mot :

— Je n'ai aucune envie de vous arrêter, Sarah

Southerland. Ne faites rien qui me force à en arriver là.

Sarah s'abstint de tout commentaire.

Il se redressa de toute sa hauteur et claqua les talons.

— Au revoir, madame.

En revenant sur ses pas, Sarah s'adressait les plus vifs reproches. Comment avait-elle pu être aussi aveugle !

Elle s'imposa néanmoins de sourire à la sentinelle de garde. Puis un sentiment de colère l'envahit. Est-ce qu'Andrew se rendait seulement compte de ce qu'il avait fait ? Dans son ignorance, elle aurait pu... Elle aurait pu quoi, au juste ? Elle ne savait rien, elle ne risquait donc pas de le trahir !

Si elle avait su qu'Andrew était un espion — elle ne s'habituait pas encore à cette idée — elle n'aurait probablement pas affiché la même assurance, elle aurait même peut-être perdu tous ses moyens : le regard qui se trouble de manière imperceptible, une hésitation fatale... Et, en trahissant involontairement Andrew, elle se serait condamnée elle-même. Voilà pourquoi Andrew ne lui avait jamais rien dit... Mon Dieu, comme il avait dû souffrir de cette solitude forcée, de ne pouvoir partager avec elle un si lourd secret.

Elle s'en voulait affreusement. Une bouffée de chagrin lui ferma les yeux quelques secondes. A cause de ses sempiternelles questions, de ses reproches, elle lui avait rendu la tâche plus pénible encore. Sans compter leur divorce...

En regagnant le salon, Sarah ne se sentait plus la même. Aussi fut-elle d'autant plus étonnée en entrant de constater que le calme était retombé sur la pièce et ses occupants. Bashir avait remis le salon en ordre et s'activait avec sa diligence habituelle. Debout, près de la fenêtre, Bruce fumait pensivement sa pipe. Cynthia discutait d'armes nucléaires avec Henri Detaille. La fumée de sa cigarette faisait de jolies volutes bleutées dans ses cheveux coupés court. Le verre qu'il avait à la main avait dû rendre à Detaille toute son assurance : il écoutait Cynthia avec intérêt, ne la quittait pas des yeux. Quant à Andrew, il était allongé torse nu sur le canapé, le bras soigneusement bandé et maintenu par une attelle.

Henri fut le seul à se lever quand Sarah entra dans le salon.

— Je vous en prie, restez assis, lui dit-elle en approchant une chaise du divan.

Elle accepta la tasse de thé que lui tendait Bashir et se tourna vers Andrew.

— Tout s'est bien passé ?

Du regard, Andrew désigna son bras bandé.

— Pourquoi, je n'ai pas l'air bien ?

Désormais, Sarah ne se fiait plus aux apparences. Elle dévisagea intensément Andrew, d'un regard qui les coupait du reste du monde.

— Franchement, je ne sais pas...

Bruce s'approcha d'eux.

— Evidemment qu'il va bien ! M. Detaille est un as. Ne nous tenez pas plus longtemps en haleine, Sarah. Parlez-nous de votre entrevue avec le colonel.

Sarah eut un sourire désabusé. Elle répondit sans le regarder, absorbée qu'elle était par le regard d'Andrew qui la guettait, les narines pincées.

— Pour commencer, lança-t-elle tout d'une traite, Jassim désire que vous interrompiez votre reportage et que vous rentriez aux Etats-Unis.

— Comment ! s'exclama Cynthia en écrasant rageusement sa cigarette. Remarquez, je m'attendais bien à une telle réaction de la part de ce personnage. Eh bien, nous continuerons quand même !

— Mais pour qui se prend-il donc ? s'exclama Bruce à son tour en brandissant sa canne.

— C'est lui qui a les atouts en main, dit Andrew sans quitter Sarah du regard. Il sait que tu es ici, Bruce, ajouta-t-il.

— Et alors ?

— Il sait en effet parfaitement qui est ici, reprit Sarah.

En même temps, elle dévisagea Andrew.

Henri Detaille pâlit. Il reposa brusquement son verre.

— Mon Dieu, murmura-t-il. Je suis un homme mort !

— Quant à toi, Andrew...

Sarah laissa sa phrase en suspens. Mais Andrew avait eu le temps de tressaillir : quelle intonation étrange !

— Il n'a encore que des soupçons, reprit-elle, mais pas pour longtemps.

— Des soupçons ! Il soupçonne Andrew d'être caché ici ? Vous m'en direz tant ! A moins que...

Bruce s'interrompit et pointa sa canne vers Andrew.

— A moins que tu ne sois rentré clandestinement dans ce pays.

Il hocha la tête, d'un air perplexe.

— J'en ai par-dessus la tête ! Je parie que tu as fourni des armes aux partisans de Nahrhim. Et maintenant, nous allons tous nous faire arrêter !

Sarah fit diversion en se levant brusquement. Elle se dirigea vers un miroir dans lequel elle vit Andrew se lever et marcher vers la fenêtre en se tenant le bras. Prudemment, il écarta les rideaux, inspecta la rue quelques minutes, puis contempla les énormes nuages gorgés d'humidité qui grossis-

saient à vue d'œil. La Land-Rover du colonel station-
nait à la hauteur des gardes postés de l'autre côté
de la rue. Ali Jassim était en train de leur parler.

Bruce, qui s'était approché de son frère, regardait
par-dessus son épaule.

— Qu'est-ce qu'il fait, à ton avis ?

— J'imagine qu'il donne des ordres pour qu'on
renforce la surveillance, répondit Andrew. D'ici une
demi-heure, le coin sera impraticable.

— Mais pourquoi, au nom du ciel ?

Jassim parla encore un moment, puis les
hommes le saluèrent. Ils le virent regagner la Land-
Rover à grandes enjambées majestueuses.

— Il a ses partisans ! Ils feront tout ce qu'il leur
demandera, remarqua Bruce. Savais-tu que Jassim
avait fait exécuter le Président ? La nouvelle a été
diffusée tard dans la soirée, hier.

Andrew se retourna et croisa le regard de Sarah
dans le miroir.

— De quoi d'autre avez-vous parlé, Jassim et toi,
en dehors de Bruce ?

C'était bien l'inquiétude d'une épouse qu'il lisait
dans les yeux clairs de Sarah.

— Il m'a posé toutes sortes de questions sur mon
enlèvement. Il m'a aussi longuement entretenu
d'un de ses objectifs principaux qui est de traquer
et de démasquer... des espions...

Andrew s'immobilisa.

— Alors il a dû te parler de Marek, dit-il enfin.

— Qui est ce Marek ? demanda Cynthia.

Sa question resta sans réponse.

— En effet.

— Et aussi de l'homme avec qui Marek travaillait ? reprit Andrew en se servant à boire.

Il lui tournait le dos.

— Je suppose qu'il t'a révélé l'identité de cet
homme, non ?

Un éclair zébra le ciel. Cynthia retint son souffle. Des roulements de tonnerre firent vibrer les vitres.

Sarah mourait d'envie de prendre Andrew dans ses bras, de l'embrasser, de lui dire que tout allait bien, qu'elle savait à quoi s'en tenir. Mais elle se contenta de le dévisager tandis qu'il jouait avec son verre.

— Il m'a fait part de ses doutes, dit-elle d'une voix douce. Le reste, je l'ai déduit toute seule.

Andrew était content qu'elle ait compris. Il regrettait de n'avoir pas encore eu le temps ni l'occasion de lui apprendre lui-même la vérité. Mais il était aussi parfaitement conscient qu'il lui fallait s'éclipser de l'ambassade le plus vite possible. Sa présence exposait Sarah à un danger imminent.

Tout se mêlait inextricablement : les gaffes de Bruce, sa propre mission pour Wesley, la nécessité d'agir dans la clandestinité... sa vie menacée et sa responsabilité envers Sarah et les autres...

Il prit son portefeuille et donna le reste des billets à Henri.

— Plus vite vous partirez et mieux ce sera, déclara-t-il.

Henri fut debout en moins de temps qu'il ne faut pour le dire.

— Oh, monsieur ! Il va de soi que je serai muet comme une tombe.

Il avait pris un ton mélodramatique. Sarah intervint.

— Oui, M. Detaille peut partir, Bashir le raccompagnera avec la voiture de fonction. Mais, ajouta-t-elle en s'adressant directement à lui, si jamais on vous questionne, répondez que vous avez été appelé à l'ambassade pour soigner Bruce qui s'est luxé l'épaule.

— Pas question, protesta Bruce. Je ne veux pas être mêlé à toutes les histoires d'Andrew.

Pour une fois, Cynthia était dépassée par les événements.

— Quelqu'un pourrait-il enfin avoir l'obligeance de m'expliquer ce qui se passe ici ? dit-elle en tortillant une de ses mèches décolorées.

Personne ne répondit. Andrew réfléchissait. Il entrevoyait un subterfuge pour sortir de l'ambassade. Avec un peu de chance, son plan pourrait marcher. Il scruta le ciel menaçant.

— Viens voir, Sarah.

Sarah s'approcha de la fenêtre.

— Toi qui vis dans ce pays depuis plus d'un an, donne-moi ton avis sur la météo.

— L'orage sera probablement très violent, peut-être même aurons-nous de la grêle. Beaucoup de lignes téléphoniques seront touchées. Il risque d'y avoir des coupures de courant plusieurs heures durant.

Andrew sourit. Il prit à nouveau plusieurs billets dans son portefeuille et les agita sous le nez de Detaille.

— Comme le disait Mme Southerland, vous êtes venu à l'ambassade pour soigner l'épaule luxée de M. Bruce Southerland. Nous sommes bien d'accord, Henri ?

Le visage apeuré d'Henri vira au gris.

— Comme vous voudrez, monsieur, dit-il enfin d'une voix geignarde.

— Bruce Southerland a été légèrement contusionné au cours de son reportage. Il a été malencontreusement heurté par une caisse. Il a un gros hématome. Enfin rien de très sérieux.

Le Français acquiesça d'un air maussade.

— Oui, monsieur.

— Bien parlé ! Bashir, veuillez reconduire

M. Detaille avant que n'éclate l'orage. Mais, encore une chose : vous n'auriez pas un rasoir, par hasard ?

Très intrigué, Bashir remarqua cependant qu'Andrew caressait sa barbe. Son regard glissa sur Bruce, bâti tout en force, puis sur Andrew, mince et athlétique, sur la canne de l'un et sur le bras en écharpe de l'autre. Ses petits yeux se plissèrent derrière ses lunettes. Il sourit.

— Oui, Monsieur, j'ai un rasoir.

— Alors apportez-le-moi, s'il vous plaît, Bashir.

Le jeune homme ouvrit la porte et fit sortir le Français en toute hâte. Une fois la porte refermée, Bruce s'approcha de son frère et le regarda droit dans les yeux. Ainsi vus de profil, pour ainsi dire nez à nez, les deux Southerland auraient pu prêter à sourire si l'heure n'avait pas été aussi grave.

Dehors, on entendait gronder l'orage et des éclairs zébraient le ciel.

— Andrew, je te jure que si ton but était de me faire sortir de mes gonds, c'est gagné ! Je ne suis pas venu à Orban pour te regarder te raser ! Alors vas-tu, oui ou non, daigner enfin me dire ce qui se passe ?

Andrew laissa échapper un long soupir. Il savait qu'à ce point, seule la vérité pouvait les sauver. Il prit son frère par le bras.

— Assieds-toi, Bruce. Je vais satisfaire ta curiosité.

Avant de commencer son récit, il enlaça Sarah et la regarda longtemps, droit dans les yeux. Il aurait voulu lui dire tout ce qu'il avait sur le cœur. Il l'embrassa très tendrement.

— Je te demande pardon, dit-il tout bas.

Trop émue pour parler, elle se serra contre lui. Après avoir jeté un coup d'œil à sa montre,

Andrew fit signe à Cynthia de venir s'asseoir sur le divan.

— C'est une histoire assez compliquée, Cynthia, mais vous me faites l'effet d'une femme intelligente. A vrai dire, je pense que cela va vous plaire...

Eberluée, Cynthia se dit qu'après tout c'était fort possible...

Tout se passa exactement comme Andrew l'avait prévu. A onze heures dix précises, Bashir quitta l'ambassade, accompagné d'Henri Detaille. Dehors les attendait la limousine de l'ambassade. Le chauffeur sortit de la voiture, en fit le tour et les attendit debout, du côté du siège du passager, le regard fixe.

Le vent s'était levé. Des feuilles mortes et des papiers tourbillonnaient dans la rue.

À peine la voiture avait-elle franchi les grilles que les gardes interpellèrent Bashir et Henri et demandèrent à voir leurs papiers.

Bashir leur jeta un regard hostile. Il fit remarquer à l'un des gardes qu'il connaissait parfaitement son identité. Il lui rappela qu'ils étaient à l'université ensemble et qu'ils suivaient tous deux le même cours de chimie. Il lui reprocha ensuite vivement d'être passé à l'ennemi.

Ce dernier lui jeta un regard embarrassé. Il expliqua à Bashir qu'ils avaient reçu de nouveaux ordres. Personne, absolument personne, ne devait rentrer ou sortir de l'ambassade sans s'être préalablement soumis à un contrôle d'identité.

Il vérifia ensuite les papiers de Bashir, puis ceux de Detaille, après quoi il les montra à son compagnon pour une seconde vérification. Le deuxième garde déclara qu'Henri lui paraissait suspect et qu'il aimerait bien savoir ce qu'il était venu faire à l'ambassade.

Henri débita rapidement son histoire : Il avait été appelé pour soigner l'épaule d'un des journalistes américains. Ses mains tremblaient tandis qu'il parlait. Le garde s'en fit la remarque et passa encore bon nombre de minutes à les questionner. Il leur demanda notamment pourquoi Bruce Southerland n'avait pas consulté un médecin à l'hôpital.

Lorsque Bashir et Henri furent relâchés et autorisés à poursuivre leur chemin, les gardes communiquèrent sur-le-champ leur rapport au capitaine Nadal. Celui-ci reconnut qu'en effet Detaille lui paraissait éminemment suspect. Il les enjoignit de se montrer très vigilants.

Le ciel était maintenant presque noir. Les roulements de tonnerre se succédaient sans répit.

Une demi-heure plus tard, Bashir était de retour avec la limousine. De nouveau il jeta un regard hostile au garde qui avait été son ancien camarade d'université. Une fois encore, d'un air gêné, celui-ci demanda à Bashir de lui montrer ses papiers d'identité.

A minuit cinq, les deux gardes sortirent leur casse-croûte et commencèrent à manger. C'est alors que l'orage éclata. Au moment précis où la pluie se mit à tomber, trois personnes apparurent sur le perron de l'ambassade. Un homme d'une taille au-dessus de la moyenne prit les devants. Vêtu d'une sorte de tenue de brousse très ample, il portait le bras gauche en écharpe. De la main droite, il tenait une canne noire à pommeau de cuivre. Les deux autres, des femmes, le suivaient de près. L'une d'elles était en short. Elle avait des jambes superbes, mais une coiffure invraisemblable. La seconde, que les gardes connaissaient bien de vue et qu'ils savaient être l'attachée d'ambassade, conduisit en hâte ses compagnons à la grille.

Les gardes, qui s'étaient abrités sous un arbre pour manger, se levèrent précipitamment. Avec mauvaise grâce, ils s'avancèrent sous la pluie pour procéder aux contrôles d'identité.

L'homme en saharienne manifesta ouvertement son agacement devant ces formalités. Après avoir confié sa canne à sa compagne, il tendit son passeport d'un geste sec et claironna qu'il était Bruce Southerland. D'une voix bourrue, il manifesta son mécontentement.

La pluie redoubla de plus belle. C'était un véritable déluge, les coups de tonnerre se succédaient sans répit. La pluie dégoulinait le long des casques des gardes et trempait leurs uniformes.

Celui que connaissait Bashir dit à son compagnon de courir chercher des imperméables. En son for intérieur, il ne voyait pas pourquoi on le houspillait. D'autant plus qu'il ne considérait pas que le fait de travailler sous les ordres du colonel Ali Jassim signifiait qu'il était passé à l'ennemi. Il fallait bien qu'il gagne sa vie. Il commençait à montrer son impatience, quand la jeune femme en short lui sourit amicalement.

Le garde se sentait gêné. Son uniforme trempé lui collait au corps. Il avait conscience de ne pas être à son avantage. Pour se donner une contenance, il demanda à voir les papiers de Cynthia. Tandis qu'il vérifiait son passeport, Cynthia l'abrita sous son parapluie. Il pensa qu'elle avait de jolis yeux. Il lui souhaita un agréable séjour à Orban.

Elle répliqua, dans un français très approximatif, qu'il pouvait aller au diable. Le garde crut comprendre qu'elle lui disait quelque chose d'aimable. Il lui sourit.

Le chauffeur de la limousine attendait stoïquement ses passagers, debout sous la pluie. Il avait l'air maussade.

Le deuxième garde revint alors vêtu d'un imperméable et en tendit un à son compagnon. Il venait tout juste de contacter le capitaine Nadal par radio au sujet de M. Southerland. Il expliqua qu'il attendait la réponse.

Bruce afficha son mécontentement. Cynthia Hymes ne souriait plus. Elle regardait avec insistance la tenue quelque peu débraillée du garde qui commençait à se sentir de plus en plus mal à l'aise.

La jeune attachée d'ambassade demanda poliment la raison de ce contretemps. Le premier garde, qui s'était pris de sympathie pour elle, jeta un regard embarrassé à son compagnon.

Une série d'éclairs illuminèrent le ciel dans un bruit assourdissant. Le deuxième garde prit alors sur lui de les laisser partir. Il leur fit signe de gagner la limousine. Bruce et Cynthia s'éloignèrent. L'attachée d'ambassade le remercia chaleureusement pour sa compréhension et rentra sans plus attendre.

La limousine venait à peine de disparaître au coin de la rue lorsque le capitaine Nadal appela les gardes par radio. Il les félicita d'avoir questionné M. Southerland avec autant de zèle. En effet, on recherchait un agent américain qui devait se trouver en ville. D'après les renseignements dont il disposait, l'homme devait mesurer environ un mètre quatre-vingt-dix. Il avait les cheveux noirs et portait une barbe.

Les gardes échangèrent un regard de soulagement. Ils s'étaient abrités sous un arbre. Leurs casques étaient encore luisants de pluie. Ils avaient froid et faim. Ils se félicitèrent mutuellement de ce que personne répondant à ce signalement ne se soit présenté à leur poste de contrôle. Ils promirent au capitaine Nadal d'être extrêmement vigilants.

Le reste de la journée se déroula sans incident

particulier. Le soir venu, les deux hommes se réjouirent d'avoir terminé leur tour de garde. Celui qui avait pris contact avec le capitaine Nadal déclara qu'il allait rentrer dîner chez lui et retrouver sa femme. L'ancien compagnon d'université de Bashir annonça, quant à lui, qu'il allait se changer et faire un tour à l'hôtel où descendaient la plupart des Américains pour voir s'il n'y rencontrait pas Cynthia Hymes.

Ni l'un ni l'autre ne se doutait qu'un homme boitant légèrement et vêtu d'un complet couleur crème, un peu étroit aux entournures, passait la nuit à l'ambassade. Pour l'heure, il jouait une partie d'échecs contre Bashir id-Nasaq tout en mangeant des oranges.

A côté d'eux il y avait deux bouteilles de mouton-rothschild à moitié vides.

Chapitre 9

Debout, sur le perron de l'ambassade, à l'abri sous son parapluie, Sarah regardait la limousine garée devant la grille en fer forgé. Elle détestait les violents orages d'Orban mais, ce soir-là, elle remerciait le ciel d'avoir permis à Andrew de s'enfuir grâce à la pluie diluvienne qui s'était abattue sur la ville.

Elle prit une profonde inspiration et descendit l'escalier à toute allure. Elle fut instantanément trempée par la pluie cinglante. Le chauffeur lui ouvrit la portière et c'est avec joie qu'elle retrouva l'intérieur de cuir un peu vieillot de la voiture diplomatique.

Le chauffeur démarra en trombe. Sarah se sentait désemparée. Combien de fois encore emprunterait-elle cette limousine ? S'il ne tenait qu'à elle, plus jamais. Elle voulait quitter Orban le soir même, mais elle avait peur pour Andrew, peur pour elle. Elle souhaitait tant qu'ils retournent ensemble aux Etats-Unis.

Les phares projetaient leurs feux sur une ville inondée et glauque. Le ciel était si sombre qu'on avait l'impression qu'il faisait déjà nuit. On n'entendait que le frottement des essuie-glaces sur le pare-brise.

Son appartement, situé dans une vieille maison entourée d'oliviers, était à deux kilomètres de l'ambassade. La maison aurait eu besoin de quelques travaux mais elle n'en était pas moins très respectable. Tout comme le quartier, où habitaient principalement des membres du corps diplomatique international.

Le chauffeur insista pour l'accompagner jusqu'à l'entrée. Sarah n'y tenait pas du tout mais il resta dans la cour jusqu'à ce qu'elle soit rentrée chez elle.

Dès qu'elle eut refermé la porte, Andrew sortit de l'obscurité, précédé de Sultan, son chat tigré qui se précipita dans ses jambes en ronronnant.

Elle se jeta dans les bras d'Andrew avec une joie sans mélange. Il l'embrassa et lui chuchota à l'oreille :

— Ne dis rien qui laisse entendre que je suis là. L'appartement est truffé de micros.

— Des micros ici ? Mais depuis quand ?

— Depuis que Jassim a appris ta réapparition à l'ambassade, je suppose. Ce n'est pas très discret mais efficace.

Elle avait peine à le croire. Une fois dans le salon, elle regarda autour d'elle. Des yeux, elle interrogea Andrew. Celui-ci la prit par la main et lui montra l'arrière du canapé, puis, dans la cuisine, la grille du réfrigérateur avant de l'entraîner dans la chambre où il désigna du pied le matelas.

Sarah se laissa tomber sur le lit et cria :

— Sultan !

Elle se pencha sous le lit comme si elle cherchait à attraper le chat.

— Viens ici, minou. Allez, minou, viens...

Elle fit courir ses doigts sous le sommier et, quand elle découvrit le micro, elle le détacha et le fit tomber par terre. Elle lança un clin d'œil malicieux à Andrew.

— Sultan, si tu ne sors pas de là tout de suite...

Sarah voulut arracher le micro mais Andrew lui

fit signe de ne pas le faire. Il l'attrapa par le bras et la conduisit dans la salle de bains. Aussi grande que la chambre, la pièce était entièrement carrelée de blanc. Les accessoires et les robinets en cuivre se détachaient admirablement. Andrew lui indiqua le grand miroir situé au-dessus du lavabo. Il ouvrit alors en grand les robinets de la baignoire. Il y eut aussitôt un bruit assourdissant dans la pièce. Ils pouvaient maintenant parler à voix basse sans crainte d'être entendus.

— Ne touche pas aux microphones, lui dit-il. Ils peuvent nous être utiles.

— Comment a-t-il osé ! Comment...

— Il a voulu te surprendre en flagrant délit de mensonge.

Elle s'assit sur le rebord de la baignoire et lui lança un regard lourd de reproches.

— Pourquoi ne m'as-tu pas dit que tu travaillais pour la CIA ? Pourquoi a-t-il fallu que je l'apprenne par quelqu'un d'autre ?

— Je n'aurais jamais cru que les choses iraient aussi loin. Je pensais ne faire qu'une ou deux missions et ne voulais pas t'inquiéter.

— Te rends-tu compte que cette histoire est à l'origine de notre malentendu ?

— Oui, mais quand je l'ai compris, il était trop tard, le mal était déjà fait.

Elle lui prit la main. Il approcha lentement son visage du sien et l'embrassa tendrement.

— Jassim n'hésitera pas un instant à te faire fusiller, lui dit Sarah, d'un ton inquiet.

— Pour cela, il faudrait d'abord qu'il me trouve.

— Tu n'as pas peur ?

— Bien sûr que si.

— Alors pourquoi tous ces départs ?

Il poussa un profond soupir.

— Parce que je n'ai jamais réussi à m'arrêter.

Sarah comprenait parfaitement ce qu'il voulait dire. Il arrive parfois que, malgré soi, on se retrouve inéluctablement happé dans un engrenage infernal dont on ne peut sortir.

— Je suis heureuse que tout soit fini maintenant, risqua Sarah.

Cette fois, elle guettait son assentiment. Devant son silence, elle saisit son bras valide.

— Réponds-moi, Andrew !

— Je n'ai pas terminé ma mission à Orban. Il me faut des preuves en ce qui concerne les investissements américains dans ce pays.

— Andrew, écoute-moi bien. Peu m'importe Marek. La seule chose qui compte, c'est toi, c'est nous. Alors, allons-nous-en, quittons ce pays ce soir, tout de suite.

— Je ne peux pas partir maintenant, Sarah. Mais je pense avoir trouvé une solution pour demain ; par bateau.

— Pourquoi pas en avion ?

Il secoua la tête devant tant de naïveté.

— Tu ne comprends donc pas que tu serais immédiatement arrêtée à l'aéroport ? Sans parler de Bruce.

— Tu penses que tu auras fini d'ici quarante-huit heures ?

— Si tout se passe bien.

Sarah vérifia la température de l'eau et défit la fermeture Eclair de sa robe. Plus ému qu'il ne voulait le paraître, Andrew la prit doucement par la taille.

— Oh, Andrew ! Je te promets d'être raisonnable mais je ne veux plus que tu me mentes. N'essaie plus de me protéger. Jure-le-moi.

— Je te le promets.

Andrew lui retira son collier de perles et le garda dans la main. Il ne la quitta pas des yeux tandis qu'elle se glissait dans son bain. Il voulait à tout jamais graver dans sa mémoire l'image de son corps parfait.

Un sourire un peu triste aux lèvres, il sortit de la salle de bains. Il avait dit la vérité à Sarah. Il possédait déjà certaines des informations que lui avait demandées Wesley. Mais il devait encore convaincre Bruce de mettre en lieu sûr le film qu'il avait tourné à l'usine de textile. Sinon, cela risquait de mettre le feu aux poudres. En tout premier lieu, il fallait faire preuve de discrétion.

Andrew regardait la pluie tomber en rafales quand il entendit Sarah sortir à pas feutrés de la salle de bains. Elle portait une djellaba. A la voir si belle, si désirable, il se dit que la vie était injuste. Pourquoi fallait-il être séparé des gens, des choses pour les apprécier ?

Elle alluma deux chandeliers de cuivre et ferma les rideaux. Une douce lumière baignait maintenant la pièce. Dans ce déshabillé, simplement orné de fines dentelles, Sarah semblait si fragile qu'il eut envie de courir vers elle, de la prendre dans ses bras, de la câliner pour lui faire sentir combien il l'aimait.

Tandis qu'elle se penchait pour poser un disque sur la platine, l'étoffe de son vêtement léger épousa parfaitement le galbe de ses hanches. Elle était encore plus désirable que si elle avait été nue. Les accents de *Daphnis et Chloé* envahirent la pièce.

Andrew sourit. C'était un de leurs ballets favoris. Ils l'avaient vu ensemble plusieurs fois.

— Tu veux boire quelque chose avant le dîner ?

Joignant le geste à la parole, Sarah apporta une bouteille de vin et deux verres en cristal.

— Tu reconnais ce passage ? lui demanda-t-elle.

— Daphnis danse, en pleine extase, pour gagner le concours.

Elle eut un rire cristallin.

— Ah, le traître ! Il se laisse séduire par les nymphes pendant que Chloé se meurt de jalousie.

Moqueur, Andrew fit mine de porter un toast à Daphnis.

— Etre polygame, le vœu de tous les hommes...

— Tu n'es qu'un mufle !

— Je n'ai jamais dit le contraire...

Ils échangèrent un sourire entendu tandis que Chloé était enlevée par les pirates.

— Je sais à quoi tu penses, dit Andrew d'un ton taquin.

— Cela m'étonnerait fort.

— Le rêve de toutes les femmes... être enlevées pour leur beauté, voir se prosterner des hommes à leurs pieds, se faire offrir mille trésors...

Jouant à la coquette, Sarah rejeta ses cheveux en arrière. Andrew éclata de rire.

— Mais tais-toi donc. Tu es sûr que les micros ne captent pas nos voix ? chuchota-t-elle.

— Oui, tant qu'on ne s'approche pas du canapé.

Rassurée, Sarah leva son verre.

— A tes amours, beau Daphnis !

— A tes amours, belle Chloé !

Andrew déposa tendrement un baiser sur la joue de Sarah. Ebauchant un pas de danse, elle s'élança à l'autre bout de la pièce. Sous le charme, Andrew ne pouvait détacher son regard de ce corps nimbé de la douce lumière des bougies.

Elle se faufilait vers la cuisine quand il l'arrêta.

— Oublie le dîner, lui dit-il d'une voix sourde.

— Tu n'as donc pas faim ?

— J'ai faim de toi.

Elle se renversa en arrière. Un éclair de malice traversa ses yeux verts.

— Et ton bras ?

Il maîtrisait mal son impatience.

— Je pense pouvoir m'en sortir !

— Souhaitons-le, parce que je ne me laisse pas séduire facilement, dit-elle, mutine.

Andrew enfouit ses doigts dans les cheveux fins de Sarah.

— Je l'espère bien !

Lorsque, enlacés, ils émergèrent lentement des flots de la volupté, Sarah repassa dans son esprit le film de ces derniers jours. Tout s'était passé si vite depuis qu'elle l'avait revu dans cette chambre ! Décidément la passion qui les portait l'un vers l'autre semblait ne jamais devoir s'éteindre.

— Ton bras te fait mal ? murmura-t-elle.

— Un peu, mais c'est sans importance.

— J'ai une faim de loup maintenant. Viens, allons dîner, dit-elle, en effleurant ses joues rasées de près.

Elle avait envie d'une salade composée mais ne trouva dans son réfrigérateur qu'une côtelette à griller pour deux. Depuis quelques jours, les événements ne lui avaient pas permis de s'occuper de son intérieur. Ils burent un peu plus que de raison et restèrent un long moment assis, sans dire un mot, à se regarder. Dehors, l'orage touchait à sa fin.

Ce fut Sarah qui rompit le silence.

— Comment te sens-tu ?

— J'ai l'impression d'être en sursis.

— Tu es inquiet ?

— Un peu, oui.

— Inquiet pour moi ? Pour nous ?

— Je me demande ce qui nous attend...

Sarah détourna la tête. Andrew ne pouvait présager de l'avenir. Il ne savait pas, non plus, ce qu'il lui en avait coûté de l'attendre, autrefois, quand elle ne savait même pas où il était.

Sarah eut le pressentiment que si elle n'allait pas vers lui maintenant, l'harmonie presque magique qui les unissait depuis peu serait brisée. Il fallait qu'il sache tout d'elle et notamment qu'elle avait peur.

Elle lui passa les bras autour du cou; aussitôt, Andrew posa sa tête dans le creux de sa gorge. Ils s'attardèrent quelques instants, immobiles, sentant leurs cœurs battre à l'unisson.

— Andrew? murmura-t-elle, en lui caressant les cheveux.

— Quoi, mon amour?

— Je t'en prie, ne te fais pas tuer alors que je viens à peine de te retrouver.

Andrew posa un regard d'une infinie douceur sur elle. Il comprenait, il comprenait parfaitement ses peurs, ses inquiétudes. Abandonnant les restes de leur dîner sur la table, il lui prit la main et l'entraîna dans la chambre.

Andrew tenait à partir avant que Sarah ne se réveille. Si Jassim avait fait poser des micros dans son appartement, il devait aussi avoir posté un homme à proximité de la maison: Il ne fallait surtout pas qu'il se fasse prendre en sortant.

Il se leva sans geste brusque. Le visage enfoui dans son oreiller, Sarah avait l'air d'un enfant.

Il était dans la salle de bains quand il l'entendit aller et venir dans l'appartement. Elle alluma la radio et vint le rejoindre.

— Tu t'en allais, n'est-ce pas? lui dit-elle d'un ton plein de reproche.

— Je ne voulais pas te réveiller.

— Ta courtoisie est des plus louables, ajouta-t-elle, amère.

— En fait, je dois partir avant le jour: je ne voudrais pas être suivi.

Andrew finissait de s'habiller. Il glissa les papiers d'identité de Bruce dans sa poche intérieure et ajusta le nœud de sa cravate. Dans le miroir, il vit l'anxiété se peindre sur le visage de Sarah.

— Ça va ? lui demanda Andrew.

— Mais oui, répondit-elle en ébauchant un petit sourire.

Andrew cala son bras dans une écharpe attachée à son cou ; ce qui lui arracha une grimace de douleur.

— Pourquoi ne veux-tu pas que je t'accompagne ? demanda Sarah.

— Tu es surveillée. Non, je vais y aller seul et je te rejoindrai après.

— Mais pas à l'ambassade.

— Tu connais cette ville mieux que moi, tu n'as qu'à fixer le lieu du rendez-vous.

Sarah réfléchit un moment et écrivit l'adresse d'un café sur une feuille de papier.

— C'est un endroit où il y a toujours beaucoup de monde. C'est tout près de la place du Capitole. Qu'en penses-tu ?

Andrew grava l'adresse dans sa mémoire puis déchira soigneusement le papier.

— Il y a une chose que tu peux faire pour moi, dit-il.

— Tout ce que tu veux.

— Quand tu verras Bruce à l'ambassade ce matin, dis-lui qu'il faut que je le voie. Il va sûrement refuser de partir mais lorsqu'il saura qu'on a posé des micros dans ton appartement, je suis certain qu'il comprendra la gravité de la situation. Je lui rendrai ses papiers et je lui dirai comment rejoindre le bateau.

Sarah ne put s'empêcher d'essayer de le convaincre.

— Je sais que je t'ai promis de ne pas m'occuper de tes affaires mais... je te le demande encore : ne pars pas. On te trouvera d'autres vêtements, Bashir te procurera un passeport. Ainsi nous pourrons...

Il l'interrompit d'un baiser.

— Il faut que je te laisse, mon amour.

— Je vais te faire un café.

— Non. Je n'aurais pas le temps de le boire.

Elle se força à lui sourire.

— Eh bien voilà, je crois que nous nous sommes tout dit.

— A tout à l'heure.

Elle sentit son cœur se serrer.

— Surtout ne t'inquiète pas. Tout ira bien.

Dehors, après l'orage, une douce brise rafraîchissait la ville. C'était une nuit sans lune, propice à un départ clandestin. Andrew se saisit de la canne de Bruce.

— Embrasse-moi, dit doucement Andrew.

Etreinte par le désespoir, elle lui offrit ses lèvres.

— Je t'aime, murmura-t-il.

Après un instant d'hésitation à la fenêtre, il sauta sur un des orangers tout proches, l'escalada et disparut par-dessus le mur qui entourait la cour.

Sarah se précipita sur son lit et étouffa ses sanglots dans un oreiller.

Elle arriva en avance au café. La matinée lui avait semblé interminable. Bruce avait quitté l'ambassade après que les gardes eurent été relevés mais, auparavant, lui et Sarah s'étaient violemment disputés. Il était d'accord pour quitter Orban mais il ne voulait pas se départir de son film. Finalement ils s'étaient séparés sans qu'elle sût à quoi s'en tenir.

Lorsque Bashir était revenu à l'ambassade, il lui

avait annoncé que Bruce, Cynthia et Phillip avaient quitté leur hôtel en taxi probablement pour se rendre aux Amalgamated Textiles.

Furieuse, Sarah avait annulé son dernier rendez-vous de la matinée et demandé sa voiture. Son chauffeur la déposa dans un café situé à quelques dizaines de mètres de leur lieu de rendez-vous.

Une fois arrivée, elle choisit une table située au fond, près du bar, d'où elle pouvait voir la rue. Il y avait beaucoup de circulation ce jour-là. Le café était bondé d'Européens et d'Européennes faisant étalage de leurs dernières toilettes.

Sarah se sentit un peu gênée d'être si simplement habillée. Elle portait un pantalon de toile noir et une tunique beige. En attendant Andrew, elle resta assise à écouter la musique des Beatles. La peur s'insinuait en elle, se muant en une sourde angoisse. Elle poussa un soupir de soulagement en voyant arriver Bruce. Quand il s'approcha d'elle, elle fut frappée par l'expression sinistre qui lui déformait le visage.

Il se laissa tomber sur une chaise. Il était essoufflé, comme s'il avait couru.

— On peut fumer ici ? lui demanda-t-il.

— Qu'est-ce qui ne va pas ?

— Comment cela ?

— Eh bien, regardez-vous ! Vous tremblez comme une feuille.

Un terrible doute assaillit Sarah.

— C'est Andrew...

— Mais non, non. Un fou a mis le feu à l'usine de textile. Cynthia a fait une enquête discrète. Il paraît qu'on m'accuse de ce forfait.

Sarah poussa un profond soupir.

— Et ce n'est pas tout, ajouta Bruce.

— Qu'y a-t-il encore ?

— Je pense que Jassim a signé un mandat d'arrêt contre moi. Mais où est donc Andrew ? Il faut absolument que je quitte ce pays le plus vite possible !

Sarah estima inutile de rappeler à Bruce que tout était arrivé par sa faute. Il était suffisamment intelligent pour le savoir et ne devait que trop le regretter. Ils commandèrent du café et attendirent nerveusement l'arrivée d'Andrew.

Celui-ci n'arriva qu'à une heure. Il les repéra aussitôt et commanda un verre au bar. Il y resta une dizaine de minutes puis, après un dernier regard sur l'assistance, vint à leur table en boitant violemment.

— Alors, dit Andrew en s'adressant à Bruce. J'ai appris que tu as fait des tiennes ce matin ?

— Tu sais ?

— Mais mon cher, toute la ville est au courant ! Bruce rougit.

— Eh bien, assieds-toi, et puis, ce n'est pas la peine de retourner le couteau dans la plaie.

— Vous avez commandé ? demanda Andrew.

— Nous t'attendions.

Ils prirent de l'agneau que l'on servait à al-Qunay avec du cumin et du riz. Ils avaient mangé le traditionnel yaourt et bu un café, accompagné d'oranges quand Sarah aperçut deux hommes en uniforme entrer dans le café. Elle enfonça ses doigts dans le bras d'Andrew. Il jeta un rapide coup d'œil en arrière et, d'un ton étonnamment calme, dit à Bruce :

— Ne te retourne pas.

Il fit signe au serveur de leur apporter l'addition.

Sarah reconnut un des gardes. C'était l'ancien compagnon d'université de Bashir.

Andrew posa alors sa serviette sur la table. Son

visage affichait à nouveau le masque froid et impassible que Sarah lui avait déjà vu.

— Bruce, dit-il, à voix basse, tu vas te lever et sortir par la porte du fond le plus vite possible.

— Ils vont peut-être s'en aller, répondit Bruce.

— Non. Ils cherchent un homme répondant au nom de Bruce Southerland.

Bruce blêmit. Ses mains tremblaient en remettant sa pipe dans sa poche. Un des gardes était en train de parler au patron tandis que l'autre passait de table en table.

— Je ne pars pas, dit Bruce. C'est de ma faute, je reste.

— Bon sang, ce n'est pas le moment de discuter, rétorqua Andrew. Et toi aussi, Sarah, fais ce que je te dis. Lève-toi et sors.

Elle vit le propriétaire pointer son doigt vers eux. Le garde la regarda droit dans les yeux.

— Je ne peux pas partir. Il m'a vue, dit-elle dans un souffle.

Andrew et Bruce échangèrent un long regard. Sarah comprenait les sentiments contradictoires qui habitaient Bruce. Il s'en voulait d'avoir créé cette situation et, en même temps, sentait confusément qu'il devait obéir aveuglément à Andrew. Celui-ci avait les papiers de Bruce, c'était donc lui qui se présenterait à sa place. Andrew s'apprêtait à jouer ce jeu. Ce n'était pas la première fois qu'il se trouvait dans une situation de ce genre.

— Vas-y, dit-il calmement à Bruce.

Celui-ci se leva en faisant mine de vouloir parler au serveur. Au même moment, Andrew se mit de côté pour que le garde le voie à coup sûr.

Sarah se sentit défaillir.

— Monsieur Southerland ? Monsieur Bruce Southerland ? demanda le garde.

Sarah implora Andrew du regard mais en vain.

— Oui ?

Le garde appela son compagnon qui vint le rejoindre. Reconnaissant Sarah, ils la saluèrent. Un chuchotement s'éleva des tables voisines tandis que tous les regards se tournaient vers eux.

— Que personne ne bouge. Il ne sera fait de mal à personne.

Le garde redoutait qu'une émeute ne se produise.

— C'est à moi que vous parliez ? demanda Andrew, un sourire niais aux lèvres.

— Nous voudrions voir vos papiers, monsieur Southerland.

Andrew jeta un regard autour de lui et, en riant, s'adressa à une femme assise au bar.

— Excusez-moi, ma chère, mais il vaudrait mieux que vous ne restiez pas derrière moi. Je crains que cet homme ne soit pas un fin tireur ; on ne sait jamais ce qui peut arriver.

On entendit quelques ricanements dans la salle. Le garde reprit d'un ton bourru :

— Très bien, nous allons chercher ces papiers nous-mêmes.

Andrew, debout, souriait à la ronde. Quand l'ancien compagnon de Bashir commença à le fouiller, il continua à faire quelques commentaires peu flatteurs. Finalement, il présenta ses papiers. Au même instant, Bruce hélait un taxi dans la rue.

Le garde étudia successivement la photographie de Bruce et l'homme qu'il avait devant lui. Il semblait étonné, ce qui n'avait rien d'anormal, Andrew étant beaucoup plus mince que Bruce.

— Monsieur Southerland, finit-il par dire, vous êtes en état d'arrestation.

Sarah serrait les dents.

— Et de quoi m'accuse-t-on ? demanda Andrew d'une voix monocorde.

167

— Suivez-nous, s'il vous plaît.

— Je veux appeler l'ambassade américaine, protesta-t-il avec véhémence. Vous devez me donner les motifs de mon arrestation.

— Suivez-nous, s'il vous plaît.

— Où m'emmenez-vous ?

Sarah leur emboîta le pas. Andrew jouait aux naïfs apeurés pour, en fait, obtenir le plus de renseignements possible. Il s'approcha du bar et parla au patron.

— Vous avez vu ce qui s'est passé, dit-il, effrayé. Ils sont entrés dans ce café et maintenant ils me menacent.

Le patron haussa les épaules en signe d'impuissance. L'autre garde commençait à être exaspéré par cet Américain un peu trop bavard qui les ridiculisait devant tout le monde. Il saisit Andrew par son bras blessé.

La douleur fit pâlir ce dernier.

— J'exige d'être mis en contact avec mon ambassade ! hurla-t-il. Vous ne m'emmènerez pas à la Colonie avant que j'aie vu un médecin. Vous m'arrêtez sous un faux motif d'inculpation. J'exige l'assistance d'un avocat !

Sarah se tourna vers un homme assis au bar. C'était un Européen d'une quarantaine d'années. Cette façon de procéder ne pouvait que le choquer.

— Cet homme demande à voir un médecin. Quoi de plus normal ? lui dit-elle.

Elle se tourna vers le garde.

— Vous me connaissez. Je suis l'attachée d'ambassade. Je vous somme de me donner le motif d'inculpation.

— Madame, cet homme est accusé d'incendie volontaire. Il doit nous suivre.

— Vous voyez comme c'est facile ! dit Andrew à

l'Européen accoudé au bar. Une accusation fantaisiste, aucune preuve et pourtant ils m'arrêtent ! Où m'emmenez-vous ?

Un des gardes se tourna vers lui.

— Vous êtes sourd, ou quoi ? Je vous ai dit de vous taire ! Vous verrez un médecin à la Colonie, un point c'est tout. Et vous, madame, asseyez-vous.

L'expression d'Andrew changea du tout au tout. Il savait maintenant où on l'emmenait. D'une voix glaciale, il dit aux gardes :

— Laissez-la tranquille.

Il fit alors un signe imperceptible à l'homme assis au bar. Celui-ci posa sa main sur le bras de Sarah.

— Madame, dit-il calmement. Vous ne pouvez rien faire de plus pour lui. Rien.

Les gardes passèrent les menottes à Andrew. Sarah était plus morte que vive. Si l'homme ne l'avait pas retenue, elle se serait fait arrêter avec lui.

Elle regarda l'Européen d'un air absent. Sans dire un mot, elle prit son sac et la canne de Bruce. Elle se retrouva dans la rue, sous le soleil torride, et marcha comme un automate sans rien voir de ce qui l'entourait.

Atterrée, elle attendit cinq heures au ministère de l'Intérieur. Faisant jouer sa fonction d'attachée d'ambassade, elle parvint à s'entretenir avec quatre responsables différents mais aucun ne lui accorda le droit de voir l'homme répondant au nom de Bruce Southerland. La seule chose qu'elle apprit, c'est qu'on avait amené le prisonnier à la Colonie après son arrestation. Elle devrait attendre le lendemain pour demander une autorisation spéciale de visite que seul le colonel Jassim pourrait lui délivrer.

Quand, forcée de se soumettre à ces contraintes, elle quitta le ministère, elle trouva en bas des marches la limousine de l'ambassade et Bashir qui l'attendait.

Chapitre 10

Le bureau était plongé dans la pénombre. Dans un coin, il y avait un plateau auquel on n'avait pas touché. Une douce brise entrait par la fenêtre ouverte, imprimant un léger mouvement aux rideaux. On n'entendait que le bruit lointain de quelques voitures passant dans la nuit.

Assise sur le canapé, Sarah se tenait la tête entre les mains. Elle ne pleurait plus, elle avait épuisé toutes les larmes de son corps. Elle se sentait vide, terrassée par tous ces événements tragiques.

Sur le pas de la porte, Bruce l'observa un instant puis s'approcha d'elle.

— Sarah ?

Sa voix émue trahissait son profond désir de l'aider.

Elle se redressa sans ouvrir les yeux.

— Je ne dors pas. Quelle heure est-il ?

— Onze heures.

Sarah se leva. Ses jambes avaient du mal à la porter. En soupirant, elle effaça les plis de ses vêtements. Elle se sentait terriblement mal.

Bruce prit une chaise et s'assit près d'elle. Ils échangèrent un bref regard.

— On m'a dit que seul le colonel Jassim pouvait me permettre d'aller à la Colonie et qu'il fallait que je retourne au ministère demain. J'ai bien réfléchi, demain, il sera trop tard. Il faut que nous agissions tout de suite.

Bruce alla se servir un verre de vodka et le but d'un trait.

— Et si je trouvais de l'argent, est-ce que cela pourrait être utile ?

Sarah y avait déjà songé et, en ce moment même, Bashir remuait ciel et terre à al-Qunay afin de savoir qui l'on avait une chance de soudoyer...

— Pourriez-vous réunir cet argent dès ce soir ?

— Je suis prêt à tenter l'impossible pour sortir Andrew de là.

— Bruce, le colonel Jassim est un extrémiste mais il est en train d'apprendre ce qu'est le pouvoir. Or il sait qu'il ne pourra pas mener à bien sa révolution sans le soutien des Américains.

Tandis que Bruce réfléchissait, Sarah alla à la fenêtre et regarda pensivement la ville.

— A votre avis, combien faut-il ?

— Deux cent mille dollars !

— Très bien, je m'en occupe, répondit-il.

Il disparut pendant une heure et donna une quantité impressionnante de coups de téléphone. Quand il revint dans le bureau, muni d'une enveloppe, Bashir était déjà de retour. Il lui communiqua les informations qu'il avait glanées dans ses recherches en ville.

Les gardes qui contrôlaient les entrées et les sorties de la Colonie étaient incorruptibles ; en revanche, à l'intérieur du camp quelqu'un se laisserait peut-être acheter. Le tout était de parvenir à s'introduire dans la prison.

Bruce fut agréablement surpris de voir que Sarah n'arborait plus le même air abattu. Elle s'était changée, maquillée, et son regard semblait plus déterminé que jamais. Lui-même avait le sentiment que les choses allaient prendre un autre cours.

— Si vous souhaitez toujours vous rendre à la Colonie, Bashir vous a préparé la voie. Je pense qu'ils comprendront ce langage-là, lui dit-il en lui tendant l'enveloppe.

Sarah en vérifia le contenu et lui adressa un sourire reconnaissant.

— Dans ces conditions, il vaut mieux que je ne tarde pas.

Soudain, Bruce eut peur pour Sarah. Elle s'exposait à de grands dangers en se rendant à la Colonie. Il la prit dans ses bras et lui parla à l'oreille.

— Andrew a beaucoup de chance.

On frappa discrètement à la porte. C'était Bashir qui portait maintenant une djellaba, le costume traditionnel.

— La voiture est prête, Madame.

Bruce prit les mains de Sarah dans les siennes et l'embrassa affectueusement.

— Bonne chance, lui dit-il.

— Andrew s'en sortira, répondit-elle pour le rassurer, espérant de tout son cœur qu'elle ne se trompait pas.

Bashir accompagna Sarah au ministère de l'Intérieur; elle dut vivement insister pour qu'il l'attende dans la limousine. Les gardes la firent patienter quelques minutes à l'entrée; c'était bien la première fois que le ministère recevait une visite d'un membre de l'ambassade américaine à deux heures du matin.

— C'est un cas de très haute importance, expliqua Sarah.

Elle se refusa toutefois à en dire plus. Impressionnés par son air décidé et l'élégance de sa tenue, ils l'introduisirent dans un des salons.

Assise dans une attitude guindée, elle noua nerveusement ses mains, essayant de ne pas penser à Andrew qu'elle imaginait soumis aux pires traitements. Que se passerait-il si elle ne parvenait pas à le faire sortir ? Elle devait à tout prix s'efforcer de recouvrer son calme.

Quelques instants plus tard, un garde vint la chercher.

— Si Madame veut bien me suivre.

Ils longèrent un couloir qui les mena à un ascenseur. Arrivés au troisième étage, ils traversèrent une enfilade de pièces. Une épaisse moquette étouffait leurs pas. Un éclairage savant mettait en valeur des meubles anciens en bois précieux et de luxuriantes plantes vertes.

— Un instant, s'il vous plaît.

Il lui fit signe de s'asseoir et annonça son arrivée par téléphone. Aussitôt, une porte s'ouvrit, un autre garde en uniforme vint vers elle.

— Madame Southerland ?

— Oui ?

— Par ici, s'il vous plaît.

La suite dans laquelle elle pénétra était extrêmement luxueuse. Elle avait du mal à imaginer Jassim vivant dans un tel cadre mais soudain elle se souvint, avec un pincement au cœur, que c'était là qu'habitait auparavant le président Nahrhim.

Elle se regarda dans un petit miroir doré de l'antichambre où elle attendait. Sa robe de soie noire lui donnait une certaine fragilité. Elle était très pâle et se sentait vulnérable. Elle entendit une porte s'ouvrir derrière elle.

— Entrez, madame, lui dit Jassim de sa voix au timbre grave et velouté.

Le grand salon était plongé dans une semi-obscurité et il fallut quelques instants à Sarah pour

174

distinguer Jassim qui observait les lumières de la ville.

Elle sentit son sang se figer quand il se tourna vers elle. Paralysée par la peur, elle resta un moment immobile.

Sans même l'inviter à s'asseoir, il attaqua :

— Ainsi, vous avez épuisé vos ressources. Vous avez fait tout ce qui était en votre pouvoir.

— Oui, répondit-elle à voix basse.

— Et maintenant, vous faites appel à moi.

— Ai-je tort ?

Elle eut l'impression qu'il savourait intérieurement sa victoire.

— Vous m'aviez pourtant dit que jamais vous ne me supplieriez.

Il était au courant de tout, évidemment. Il devait avoir en sa possession le dossier complet d'Andrew. Sarah comprit qu'il valait mieux qu'elle soit franche, si elle désirait obtenir quoi que ce soit de lui.

— J'ai dit beaucoup de choses, répondit-elle.

Elle sentait la fureur de Jassim prête à éclater. Il fallait qu'elle parle sans plus attendre.

— Je suis désolée, il est si tard. Mais je suppose que vous savez...

D'un ton mordant, il confirma :

— Je sais qui il est. Je sais tout, madame. Et je sais que vous m'avez menti.

Il passa la main sur son front et lui dit d'un ton légèrement plus cordial :

— Je ne m'étais pas encore retiré. A vrai dire, je n'ai pas beaucoup de temps à consacrer au repos.

Sarah préféra garder le silence de peur que ses paroles ne soient mal interprétées. Elle entendit sonner la demie de deux heures.

Jassim se dirigea alors vers le bar, en sortit une bouteille et deux verres qu'il remplit, puis, sans même lui demander si elle désirait boire, il lui mit un verre entre les mains et se carra dans un lourd fauteuil tendu de maroquin.

— Merci, murmura-t-elle.

Il leva son verre d'un air désabusé.

— A votre succès, lui dit-il.

Sarah l'observa tandis qu'il buvait. Il avait dû s'allonger tout habillé car son uniforme était froissé. Ses traits tirés, ses yeux brillants trahissaient sa fatigue.

Soudain, elle se leva et alla poser son verre sur un guéridon. Ses plans pour obtenir la libération d'Andrew lui semblaient pure folie ! Le côté vain de l'entreprise lui ôtait tout espoir.

— Monsieur..., balbutia-t-elle.

Elle avait du mal à affronter le regard de Jassim. Elle s'admonesta intérieurement. Il ne fallait surtout pas que Jassim la voie pleurer. Non ! Surtout pas de larmes !

Ali Jassim avait bien sûr remarqué son désarroi. Il avait enfin découvert son point faible : un Américain, et qui plus est un espion, un homme qu'il aurait volontiers abandonné à son sort. Un homme qu'au fond il enviait sans l'avoir jamais vu.

Il s'approcha d'elle.

— Dites-moi la véritable raison de votre présence ici ? Vous voulez marchander sa vie ? L'acheter ?

— Que demandez-vous en échange ? Je suis prête à payer le prix qu'il faudra.

Il l'attira brusquement à lui et, prenant son visage à deux mains, la força à relever le menton.

— Seriez-vous en train de me supplier, Sarah Southerland ?

La peur la liquéfiait. Elle était obligée de se tenir sur la pointe des pieds tant il la forçait à relever la tête. Malgré sa frayeur, malgré tout ce qui les séparait, elle avait du mal à chasser certaines images troublantes qui s'imposaient à son esprit. Le désir que Jassim avait d'elle était si violent qu'elle s'imaginait livrée à ses caresses.

— Oui, je vous supplie, dit-elle d'une voix brisée.

Une lueur ironique se reflétait dans les yeux du colonel tandis qu'il la dévisageait cavalièrement. Il relâcha la pression de ses paumes sur son visage et les laissa glisser sur la peau soyeuse de son cou. Il ne poussa pas plus loin sa caresse, mais Sarah devinait qu'il se maîtrisait à grand-peine. Elle le voyait à sa mâchoire crispée, à la veine qui battait à sa tempe.

— Vous me décevez, madame, lui dit-il enfin en martelant ses mots. Il fut un temps où il me semblait lire dans vos yeux une volonté de fer.

Elle l'aurait volontiers giflé.

— A ce moment-là, colonel, seule ma propre vie était en jeu.

A peine avait-elle proféré ces mots qu'elle se rendit compte de son erreur, au rictus de ses lèvres, à l'étau implacable de ses bras autour d'elle. Elle fit taire son instinct qui la poussait à se débattre, à mordre et à gifler.

— Dans une autre vie, c'est moi qui aurais pu être à sa place, attendant mon salut de vous, dit-il d'une voix sourde en la regardant droit dans les yeux.

La violence de la passion de Jassim hypnotisait Sarah...

— Qui sait ? répondit-elle.

Ils étaient en train de vivre une trêve. Les masques étaient tombés, ils se comprenaient au-delà des mots. Jassim se demandait comment cette sage jeune femme pouvait le bouleverser à ce point. Il savait déjà qu'il ne l'oublierait jamais ; de son côté, Sarah n'avait qu'un geste à faire pour que

177

Jassim lui témoigne ouvertement sa passion, elle ne l'ignorait pas. Elle était probablement la seule au monde à qui il ait dévoilé son vrai visage, devant qui il se soit montré désarmé...

— Et alors, peut-être aurais-je été heureux, ajouta-t-il d'une voix très douce en relâchant son étreinte.

Il tourna les talons, alluma une lampe. La lumière dissipa cet instant d'intimité. Sans mot dire, il prit un papier à en-tête. Sarah ne pouvait lire ce qu'il écrivait. Toujours en silence, il plia la feuille et la glissa dans une enveloppe.

— Avec ce laissez-passer on vous autorisera à le voir. Je veux que vous sachiez que j'agis en parfaite connaissance de cause. Je sais tout de cet homme : son identité, son passé...

— Alors vous connaissez le mien, aussi...

— Effectivement. Mais vous devez bien comprendre, madame, que je ne peux officiellement le faire libérer. Ma situation à la tête de ce nouveau gouvernement est très délicate. Les rênes de mon pouvoir sont fragiles.

Trop émue pour affronter son regard, Sarah alla à la fenêtre.

Ali Jassim s'approcha d'elle. Doucement, il lui prit son sac des mains, l'ouvrit, y glissa l'enveloppe, puis fit claquer le fermoir et le lui rendit. Il la regarda ensuite intensément. Sarah eut le pressentiment que c'était la dernière fois qu'elle le voyait.

— Si Andrew Southerland réussit à s'échapper de la Colonie, dit-il d'une voix grave, je n'interviendrai pas. Je ne peux rien faire de plus.

Sarah avait les larmes aux yeux. Elle réprima l'élan qui la poussait vers lui car elle savait que par orgueil il la repousserait.

— Merci, Ali Jassim, dit-elle. Peut-être que dans une autre vie...

Jassim toussa discrètement et détourna la tête pour cacher son émotion.

— Maintenant je vous prie de m'excuser, madame, mais je vais me retirer. Je suis extrêmement fatigué.

Il la raccompagna jusqu'à la porte. Sarah chercha désespérément quelque chose à lui dire pour lui témoigner sa reconnaissance, mais les mots ne venaient pas. Elle savait qu'il n'avait que faire de ses remerciements. Elle hésita un instant, puis finalement passa devant lui et s'éloigna sans rien dire, la tête haute. Elle devina qu'il n'avait pas refermé la porte et qu'il la suivait du regard.

La Colonie n'était pas véritablement une prison, à l'origine. Jusqu'à la fin des années cinquante, elle avait été le siège de l'Assemblée d'Orban. Mais quand les premiers gratte-ciel d'al-Qunay avaient été construits, on avait estimé que l'Assemblée devait siéger dans un cadre résolument moderne.

Tout autour de la Colonie, ce n'était qu'un entrelacs de petites rues aux échoppes et aux restaurants animés. Un mur encerclait la prison, mais les étrangers croyaient souvent qu'il s'agissait d'un couvent, ou de la demeure d'un quelconque excentrique. En fait la Colonie était un lieu de réclusion où s'entassaient les prisonniers politiques dont le gouvernement ne savait que faire. La plupart des membres du gouvernement de feu le président Nahrim y étaient incarcérés.

Une fois dans la prison, Sarah dut passer par tant de formalités administratives et de vérifications qu'elle commença à perdre espoir. Quand enfin elle parvint au dernier poste de contrôle, le garde lui lança un regard soupçonneux en examinant le laissez-passer de Jassim. Sans un mot, il renvoya son escorte et lui fit signe de le suivre.

Ils longèrent un couloir interminable où leurs pas résonnèrent de manière sinistre. Sarah regarda l'arme qui pendait à la ceinture du garde. Et si jamais elle ne ressortait pas d'ici ? se dit-elle, tout à coup. Qui pourrait prouver quoi que ce soit ?... Elle sentit une boule se former dans sa gorge.

Ils atteignirent une grande porte métallique. Sans même la regarder, le gardien tendit vers elle sa main ouverte.

— L'argent, s'il vous plaît, lui dit-il d'un ton parfaitement détaché.

Tremblante, elle lui tendit l'enveloppe de Bruce. Elle ne fut même pas étonnée de voir qu'il ne l'ouvrait pas. Il connaissait déjà le montant.

— Suivez-moi, dit-il.

La porte coulissa. Elle découvrit une salle de la taille d'un grand gymnase où s'entassaient des centaines d'hommes, certains malades, d'autres blessés, mais tous dans un état d'hébétude et de prostration.

Sarah tressaillit en découvrant cette vision de cauchemar. Elle chercha fébrilement Andrew des yeux ; il n'était pas dans ce magma humain. Ils franchirent une nouvelle porte ; elle dut alors patienter le temps que le garde parle à un de ses collègues. L'enveloppe changea de mains, son guide repartit sans lui adresser la parole. Celui qui avait maintenant l'enveloppe en sa possession lui ordonna sans ménagement :

— Dehors !

— Comment cela dehors ? Vous voulez dire qu'il faut que je quitte la prison ?

— Vous ne pouvez pas rester ici.

Il prit son trousseau de clés, ouvrit une porte donnant sur l'extérieur et lui fit signe de sortir.

Devant elle, une allée en ciment menait au mur de brique qui entourait la Colonie. La seule issue visible était une grille fermée par un lourd cadenas. Il n'allait tout de même pas l'abandonner là !

— Allez, lui dit-il en refermant la porte derrière elle.

Elle courut jusqu'au mur pour se tapir dans l'obscurité.

Pendant plus d'une heure elle attendit. La peur, la nuit, lui faisaient envisager le pire... Son plan avait échoué, on l'avait dupée. Elle se voyait déjà traînée devant Jassim pieds et poings liés, accusée de complot contre la sécurité de l'Etat.

Tassée sur elle-même, elle avait mal au dos. Elle se releva lentement... Autour d'elle, tout n'était que silence et désolation. Elle se laissa aller au désespoir et se mit à pleurer.

Quand elle releva la tête et qu'elle vit Andrew escorté par deux gardes, elle crut à un mirage. Ils marchaient le long du mur en prenant garde de rester dans l'ombre. Andrew portait des menottes et on lui avait retiré l'écharpe qui maintenait son bras blessé.

Sarah marcha d'abord à petits pas puis, n'y tenant plus, elle courut vers Andrew.

— Oh, Andrew ! murmura-t-elle. Andrew !...

Les larmes coulaient silencieusement sur ses joues.

— C'est fini, ma chérie. Tout va bien maintenant, murmura-t-il.

Se tournant vers un des gardes, il demanda qu'on lui libère les mains.

L'homme en uniforme jeta un regard circulaire. Il ouvrit les menottes d'Andrew et les glissa dans sa poche.

— Je vais déverrouiller le cadenas de la grille et m'en aller, dit-il à voix basse. Vous partirez par là, ensuite je reviendrai et je refermerai à clé.

Dès qu'on l'eut détaché, Andrew attira Sarah

tout contre lui et l'embrassa sur les joues pour sécher ses larmes. Il repoussa les mèches de cheveux qui tombaient sur ses yeux et l'enveloppa d'un regard amoureux.

— J'ai imaginé le pire, tu sais.

— Ils m'ont fait subir un nouvel interrogatoire, c'est ce qui m'a retardé.

— Ils t'ont fait du mal?

Une expression indéfinissable passa dans les yeux d'Andrew.

— Ils ont été prudents. Rien ne se voit.

Le garde s'impatientait.

— Dépêchez-vous. Vous n'avez pas beaucoup de temps.

Sarah serra la main d'Andrew de toutes ses forces tandis que le garde marchait jusqu'à la grille. Il inspecta la rue, fit semblant de vérifier la chaîne, puis la secoua. Ce faisant, il ouvrit prestement le cadenas. Son geste fut très discret. Lorsqu'il s'éloigna, Sarah et Andrew attendirent quelques minutes sans bouger. Ils se regardaient sans mot dire. Ils étaient ensemble mais la partie n'était pas encore jouée.

— Dès que nous serons dehors, dit-il, avance en rasant le mur. Si jamais il y avait un problème, ne t'arrête surtout pas... Tu es prête?

Sarah hocha la tête.

Andrew traversa l'allée cimentée et s'aplatit contre le mur intérieur de l'enceinte. Il inspecta une dernière fois la rue. Il y avait peu de circulation. Les trottoirs étaient déserts. Il ne restait que deux heures avant le lever du jour. D'un signe, il invita Sarah à le rejoindre, ce qu'elle fit, sans plus tarder. Mais la grille permettait le passage d'une seule personne à la fois.

— Je passe le premier, chuchota Andrew.

Accorde-moi quelques secondes. S'il ne se produit rien de fâcheux, alors suis-moi.

Le cœur de Sarah battait à tout rompre. Elle regarda Andrew se glisser de côté par l'ouverture. Elle retenait son souffle, s'attendant d'une seconde à l'autre à entendre claquer un coup de feu.

Au bout de quelques minutes elle respira enfin, soulagée. Il ne s'était apparemment rien passé. A son tour, baissant la tête, elle se glissa entre les grilles. Ses talons claquèrent légèrement sur le ciment.

Lorsqu'ils furent tous deux sortis de la Colonie, Andrew attrapa la main de Sarah et la tint fermement serrée dans la sienne. Ils longèrent rapidement le mur d'enceinte.

Une voiture surgit soudain de l'ombre, tous feux éteints.

— Andrew ! fit Sarah, effrayée.

La porte de la limousine s'ouvrit. Bashir passa la tête par la vitre du passager. Il sembla à Sarah que le temps s'arrêtait.

— Madame, dit gaiement Bashir, il est presque quatre heures du matin.

Sarah aurait été bien en peine d'expliquer ce qu'elle ressentait lorsqu'elle se laissa tomber sur le siège confortable et familier de la limousine. Elle ferma les yeux tandis qu'Andrew la serrait dans ses bras à l'étouffer. Elle fut alors prise de tremblements et se sentit totalement incapable de parler.

— Je n'en peux plus, murmura-t-elle, la tête appuyée contre l'épaule d'Andrew. Je t'aime, mais vraiment je n'en peux plus.

Andrew secoua la tête en silence. Il savait qu'elle était à bout de forces.

— Conduisez-nous à l'ambassade, dit-il à Bashir. Nous prendrons Bruce. C'est fini...

Chapitre 11

Malheureusement, rien n'était fini...

Ce n'est qu'une fois de retour aux Etats-Unis avec Bruce que Sarah dut se faire à cette vérité dérangeante : Andrew était resté seul à Orban. Il avait encore plusieurs problèmes à régler : récupérer le film de Bruce, glaner quelques compléments d'information pour Wesley, sans compter les complications engendrées par l'incendie de l'usine...

Une suite de hasards les avaient réunis et maintenant elle souffrait d'être séparée de lui. L'amour aussi est le fruit du hasard, pensait Sarah. Le jouet du destin. Mais cette fois elle ne supporterait pas de perdre Andrew. Finies les demi-mesures. Son amour serait exigeant. Elle voulait qu'Andrew lui revienne. Elle le voulait à elle, rien qu'à elle, égoïstement.

Veillant sur Sarah en ces moments difficiles, solide et affectueux, il y avait Robert Humphries. Son père s'était montré adorable à son retour. Il lui avait apporté tout le réconfort possible. Lui, d'habitude si réservé, avait fait preuve d'une grande sollicitude et ce avec une discrétion absolue, en évitant de lui poser trop de questions. Il lui avait même proposé de venir habiter chez lui en attendant le retour d'Andrew.

Sarah avait protesté, mais, intérieurement, elle espérait que son père insisterait ; ce qu'il fit. Et, lorsque son patron, Benson Paletto, téléphona pour savoir si elle comptait retravailler bientôt, il lui avait suggéré avec tact de prendre quelques jours de repos et, pourquoi pas, de l'aider à remettre à neuf son appartement si elle désirait se rendre utile. Sarah se lança à corps perdu dans ces tâches domestiques qui lui évitaient de trop penser.

Elle retapissa tous les placards, nettoya les tapis, lava les vitres et mit de l'ordre dans les affaires de son père.

Wesley Durant, quant à lui, adopta à l'égard de Sarah l'attitude d'un pasteur cherchant à convertir une nouvelle brebis, ce qui avait quelque chose d'assez comique. Maintenant qu'elle était au courant des activités d'Andrew, il l'appelait presque tous les jours. Naturellement il ne se rendait absolument pas compte qu'il retournait le couteau dans la plaie, ne faisant qu'aggraver son chagrin. Cependant elle apaisa ses scrupules.

— Croyez bien que j'apprécie toutes vos marques de sympathie, monsieur Durant, lui dit-elle. Je suis certaine que tout va s'arranger...

Cependant, elle n'en croyait pas un mot et continuait de se ronger.

Bruce l'appelait lui aussi.

— Quand les choses se seront calmées, lui confia-t-il un jour dans l'espoir de lui changer les idées, sachez que j'ai une offre d'emploi à vous faire.

Sarah lui expliqua le plus poliment possible qu'on lui avait déjà proposé du travail.

— Allons Sarah, accompagnez-moi en Amérique centrale. Vous me servirez d'interprète, vous pourrez aussi m'aider pour mes articles. Vous verrez, vous adorerez ça ! Quand vous serez décidée, faites-moi signe. Ma proposition est ferme.

— Travailler pour vous, dit-elle en riant. Pas question !

— C'est encore à cause de toute cette histoire à Orban ? Oubliez, vous ne vous en porterez que mieux.

La faculté qu'avait Bruce de tirer un trait sur ce qui le dérangeait était à peine croyable.

— Je doute fort qu'Ali Jassim, lui, oublie de sitôt, rétorqua Sarah.

— Au fait, vous n'êtes pas au courant de ce que vient de faire notre cher colonel ? reprit-il.

— Jassim ? J'ai presque peur de vous poser la question.

— Figurez-vous qu'il a restitué le corps de l'ambassadeur. Je viens de l'apprendre à la radio. Et il va libérer une partie des prisonniers politiques ! Pour une surprise, c'est une surprise, non ?

Non, se dit-elle, en y repensant quelques jours plus tard, par un froid matin d'octobre, tandis qu'elle prenait son petit déjeuner. Que Jassim ait libéré des prisonniers politiques ne la surprenait guère. Mais qu'en était-il d'Andrew ? Jassim savait-il qu'Andrew n'avait pas quitté Orban ? Continuerait-il encore longtemps à fermer les yeux, et tout cela pour elle ?

La sonnerie du téléphone posé à portée de main la fit sursauter. Elle hocha la tête d'un air las. Ce doit être Bruce, pensa-t-elle. C'est son heure. Elle décrocha. Aussitôt sa voix pleine d'entrain retentit dans le récepteur.

— Tenez-vous bien, j'ai une bonne nouvelle à vous annoncer.

— Tant mieux. J'ai le moral à zéro aujourd'hui.

— Mère désire vous voir.

Ah ! Ainsi elle avait droit à une convocation de la reine mère...

— Tiens donc ! Vous m'en direz tant.

— Allons, ne le prenez pas de travers. Mère aimerait arrondir les angles. Je veux dire... enfin,

186

vous savez bien qu'il y a eu quelques dissensions dans la famille, ces dernières années... alors elle voudrait...

Sarah leva les yeux sur son père qui entrait dans la pièce en nouant sa cravate. D'un geste, elle désigna le café qui commençait à bouillir et les toasts qui grillaient.

— Elle donne une grande fête la semaine prochaine. Tout le corps médical y sera, plus quelques-uns de ses amis politiques. Elle voudrait que vous y assistiez.

— Moi ? s'exclama-t-elle, feignant la surprise.

— Oui, vous !

— Elle est au courant ? Je veux dire pour Andrew ?

La voix de Bruce baissa de plusieurs tons.

— Bon sang, Sarah, j'ai essayé de tout lui expliquer au moins une dizaine de fois, mais si Andrew avait voulu la mettre dans la confidence, il l'aurait fait lui-même, vous ne pensez pas ? Leurs relations étaient plutôt tendues les dernières fois qu'ils se sont vus.

— Bien, je suppose que vous avez raison.

— Alors c'est entendu, vous viendrez ?

— Je crois que je préfère attendre qu'elle me téléphone en personne, Bruce.

Durant quelques secondes, Sarah sentit une légère tension à l'autre bout du fil. Elle s'imaginait très bien en train de parler à Mary avec un sourire contraint aux lèvres.

— Elle vous appellera sûrement aujourd'hui même, dit Bruce. En attendant, soyez sage. N'oubliez pas qu'Andrew peut téléphoner de l'aéroport d'un moment à l'autre, mais le moins qu'on puisse dire c'est qu'il se fait attendre.

— Il a six semaines de retard, précisa Sarah.

Peut-être bien que vous avez raison. Qui sait, il rentrera peut-être aujourd'hui.

— Eh bien, alors à demain. Je vous rappellerai comme d'habitude.

— Bien sûr. Au revoir, Bruce.

— Au revoir, Sarah.

Robert Humphries posa son café sur la table au moment où elle raccrochait. Il contempla sa fille, le cœur serré. Sarah s'était emmitouflée dans un grand peignoir de couleur crème. Ses yeux brillaient comme des émeraudes d'avoir encore pleuré. Ses obligations de chirurgien, en l'appelant de bon matin au bloc, lui fournissaient un prétexte pour ne pas se mêler de ses affaires. Mais ce n'était qu'un prétexte. Il voyait bien qu'elle avait le cœur brisé et ne savait comment l'aider.

— Comment te sens-tu ce matin ?

— Bien, répondit-elle en lui offrant un pâle sourire.

— C'est curieux, mais je n'arrive pas vraiment à te croire.

Sarah lui sourit à nouveau et heurta légèrement la table en se levant. Elle se dirigea vers la verrière qui donnait sur le jardin. J'ai grandi dans cette maison, se dit-elle avec une bouffée de tendresse. J'ai poussé en même temps que les arbres de ce jardin...

Ce jour-là, ils étaient flamboyants, ils avaient les couleurs de l'automne, avec leurs feuilles rouges, cuivrées ou vieil or. De temps en temps, le vent en détachait une qui voltigeait gracieusement avant de rejoindre les feuilles mortes qui s'entassaient contre la grille.

— As-tu déjà parlé à Mary ? demanda Robert.

Sarah rit puis se tut. Elle s'absorba dans la contemplation de ses mains.

— Bruce vient de me dire qu'elle allait m'appeler. Hier, j'ai vu Peter qui lui aussi y a fait allusion. Pourtant, l'intéressée ne s'est pas encore manifestée.

L'orgueil obstiné de sa fille l'avait toujours dérouté. Robert reposa bruyamment sa tasse et vint se poster devant elle. Il s'éclaircit la voix afin de cacher son embarras.

— Ecoute, Sarah, tes relations avec Mary vont changer. Elle a tant de fois déploré ce qui s'était passé ! Elle m'a dit combien elle s'en voulait... Je connais tes sentiments concernant cette histoire, mais...

Sa fille planta ses yeux dans les siens.

— Vraiment, papa ? As-tu la moindre idée du mal qu'elle m'a fait à l'époque ? Toutes ces insinuations, ces calomnies laissant entendre à qui voulait que j'avais cherché à piéger Andrew !

— Mais tu n'étais pas enceinte.

— Ça ne change rien. C'est vrai qu'il m'a épousée parce que nous pensions que j'attendais un enfant. Bien sûr, la réaction de Mary était prévisible mais elle aurait pu se dispenser de parler comme elle l'a fait. Au moins, pas à son entourage... Non ! répéta-t-elle en secouant la tête.

— Ton amour pour Andrew t'aidera à surmonter ces difficultés. Tu m'as dit qu'il souhaitait se remarier avec toi.

Le souffle de Sarah avait formé un petit cercle de buée sur la vitre. Elle y traça un trait.

— Parfois, l'amour...

Ne sachant comment résoudre le problème, Robert boutonna sa veste.

— Enfin... tu connais mes sentiments vous concernant tous les deux.

Souriante, Sarah s'approcha de lui et redressa son nœud de cravate

— N'est-ce pas insensé ? dit-elle d'un ton faussement léger. On croit épouser un homme et, en fait, on épouse toute une famille. Tout paraissait si simple quand Andrew et moi en avons parlé à Orban. Et voilà que maintenant...

Sarah retourna à la fenêtre. Elle entendit le tintement des pièces de monnaie dans les poches de son père tandis qu'il enfilait son veston, puis le cliquetis de ses clés de voiture.

— En fait, je suppose que j'ai peur...

— De quoi ?

Elle haussa lentement les épaules.

— A Orban, il m'est arrivé d'observer Andrew à son insu. Il y avait quelque chose en lui... cette faculté d'anticiper les événements, de mobiliser toute son énergie face à l'inconnu... Je crois que d'une certaine façon il aime le danger... Il avait conscience d'être utile là où il n'est pas donné à tout le monde de l'être. Oui, je crois que le danger l'excitait autant que moi je l'appréhendais.

— Il arrêtera si tu le lui demandes.

— C'est justement mon problème, dit-elle avec une expression mi-songeuse, mi-têtue.

— Alors tu devrais être heureuse.

Comme Sarah ne répondait pas, Robert se dirigea vers la porte et se retourna encore une fois.

— Regarde-moi, Sarah.

Elle se tenait à contre-jour. Le soleil matinal dessinait sa silhouette. Elle semblait aussi fragile que le givre sur les carreaux.

— L'amour se paie cher, Sarah, dit-il maladroitement. Ne cherche pas à être de ceux qui donnent tout. J'ai fait cette erreur avec ta mère. Je voulais que tout soit parfait. Je voulais lui offrir la lune. Ne prive pas Andrew de la possibilité de payer ses dettes envers toi.

Suivant de curieux méandres, la pensée de Sarah la transporta à Orban, le jour où Andrew et elle s'étaient aimés au bord de la rivière. Elle savait qu'il lui aurait suffi de fermer les yeux pour revivre leur folle étreinte, pour sentir à nouveau le sable chaud contre son dos... Etait-ce cette fois-là que c'était arrivé ? Ou pendant cette nuit d'orage où ils étaient tous les deux si fatigués, où ils avaient eu tant besoin l'un de l'autre ?

Elle essaya de trouver les mots qui pourraient faire comprendre à Robert ce qu'elle ressentait.

— Papa...

Il l'arrêta d'un geste.

— Je vais te prendre un rendez-vous avec le Dr Haddis aujourd'hui même. Je veux que tu gardes cet enfant, Sarah.

L'espace d'un instant, elle crut avoir rêvé... Ainsi, il avait deviné son secret ! Lorsqu'elle releva la tête pour regarder son père à travers ses larmes, elle se dit qu'elle devait ressembler à la petite fille qu'elle était autrefois et qui avait tant besoin d'affection.

— Haddis s'arrangera pour te recevoir dans la matinée, reprit Robert. Allons, dépêche-toi de t'habiller. Je t'appellerai du bureau.

Sarah resta là à fixer l'endroit où se trouvait son père quelques secondes plus tôt. Elle entendit claquer la porte d'entrée et démarrer la voiture. Puis elle retourna à la fenêtre et se perdit à nouveau dans la contemplation du jardin. La maison était en ordre, les carreaux étaient propres, les meubles cirés, même les cuivres brillaient.

— Oh, Andrew ! murmura-t-elle, comme si le simple fait de prononcer son nom pouvait la réconforter, l'aider à supporter cette situation intenable. Je t'en supplie, reviens-moi vite. Cette fois, nous allons vraiment l'avoir, notre bébé.

Une fois que Sarah se fut rhabillée, elle revint s'asseoir dans le bureau du Dr Dwayne Haddis.

— Si vous le désirez, nous pouvons attendre le résultat des tests de grossesse, dit-il en la regardant par-dessus ses lunettes.

Depuis le jour où elle avait fait la connaissance de ce célibataire grisonnant et brouillon, au visage ingrat, mais d'une merveilleuse bonté, elle avait toujours pensé qu'il aimait et comprenait les femmes mieux que personne au monde.

— Vous en êtes à peu près certain, maintenant, n'est-ce pas ?

Il sourit gentiment.

— Pour moi, il n'y a aucun doute. Bon, maintenant répondez-moi franchement. Vous êtes sûre de vouloir cet enfant ?

Le souffle coupé, Sarah se laissa aller dans son fauteuil. Elle éclata de rire.

— Vous ne me racontez pas de blagues au moins, docteur ?

— Ce n'est pas mon genre et vous le savez. Racontez-moi, comment vont les choses entre Andrew et vous ?

Sarah ne pouvait décemment pas en vouloir à ce médecin de lui poser des questions qui ne regardaient qu'elle. Elle hocha malicieusement la tête.

— Il ne me semblait pourtant pas vous avoir dit qu'Andrew était le père...

Le Dr Haddis se cala confortablement dans son fauteuil et posa les coudes sur son bureau.

— Ne cherchez pas à jouer au plus fin. Répondez-moi plutôt. Quand êtes-vous rentrée d'Orban ?

— Il y a quelques semaines. Pourquoi ?

— Vous n'avez pas contracté de fièvres là-bas ?

Sarah secoua la tête en signe de dénégation.

— Parfait. Désormais la seule ombre au tableau, c'est la famille d'Andrew...

192

Sarah avait beau connaître Haddis depuis des années et apprécier sa gentillesse, trop, c'était trop ! Elle ne voulait plus qu'on se mêle de ses affaires. Elle se leva et prit son manteau. Le Dr Haddis se leva à son tour, et contourna le bureau. Après l'avoir aidée à enfiler son manteau, il posa ses grandes mains sur ses épaules.

— Ecoutez-moi, Sarah. Mary Southerland est redoutable. Et pas seulement en tant que chef de service. Je ne veux pas que vous vous rendiez malade à cause d'elle, vous m'entendez ? Je veux que vous sachiez qu'il n'y a qu'une personne qui compte à mes yeux : vous. Si l'on se permettait de remuer le petit doigt ou de proférer un seul mot contre vous, je...

Pour la première fois depuis des jours, Sarah se sentit tout à coup le cœur léger. Elle serra affectueusement Haddis dans ses bras.

— Vous et papa, alors !... Vous ne me croyez vraiment pas capable de tenir tête toute seule à mon ex-belle-mère ? Eh bien, laissez-moi vous dire, mon cher Dwayne, que moi aussi je peux être redoutable quand il le faut !...

— Pourquoi ces yeux de biche effarouchée ? susurra Haddis à son infirmière qui passait la tête par la porte. Tenez, Loïs, voici la courbe de température de Sarah. Inscrivez son prochain rendez-vous. Elle doit revenir dans un mois.

— Eh bien, vous allez pouvoir sortir les aiguilles à tricoter et vous mettre à la layette, dit-elle à Sarah en lui lançant un clin d'œil complice.

— Erreur, Loïs. Je pars en Amérique centrale avec Bruce.

Le Dr Haddis la raccompagna jusqu'à la porte avec un sourire taquin.

— Essayez seulement, jeune dame, et j'ajouterai un autre Southerland sur ma liste noire.

Sarah les laissa tous deux à leurs plaisanteries de salle de garde sur les joies de la maternité. Elle sortit du cabinet ragaillardie. En traversant la salle d'attente elle remarqua une jeune fille recroquevillée sur sa banquette, avec un magazine ouvert sur les genoux. Elle se rongeait nerveusement les ongles.

Troublée, Sarah lui sourit. L'air gêné, l'inconnue détourna les yeux. Elle se pelotonna un peu plus comme pour se sécuriser. Sarah hésita, puis continua son chemin, à nouveau soucieuse.

Par quel caprice du destin était-elle différente de cette jeune personne ? Etait-ce grâce à l'affection dont l'entourait son père ? A son amour pour Andrew ? Ou encore à sa propre force de caractère, à laquelle elle ne croyait même pas ?

Une fois dehors, elle se rafraîchit à l'une des petites fontaines qui jalonnaient le hall. Puis elle jeta un regard circulaire, fermement déterminée à se ressaisir et à offrir un meilleur visage. Les choses avaient bien changé à l'hôpital Mercy, remarqua-t-elle... Mais certainement moins qu'elle. C'est du moins ce qu'elle se dit en appuyant sur le bouton de l'ascenseur.

Un homme âgé lui tint la porte.

— Belle journée, n'est-ce pas ?

Il porta la main à son chapeau en un salut un peu désuet.

— Ma foi oui, répondit-elle.

Elle s'aperçut avec plaisir qu'elle le pensait vraiment...

A quelques pas de la fontaine, à l'entrée d'un service dont l'accès était réservé au personnel de l'hôpital, Mary Southerland regardait pensivement Sarah entrer dans l'ascenseur.

Que faisait donc Sarah Humphries Southerland

au quatrième étage de l'hôpital ? Le cabinet de Robert était au second et, à sa connaissance, Sarah n'avait pas rendu visite à son père depuis une éternité. Elle comprit tout à coup... à cet étage, il y avait le service d'obstétrique et de pédiatrie.

De sa démarche altière, elle se dirigea aussitôt vers l'accueil. Elle poussa le tourniquet et passa derrière le bureau.

— Bonjour, docteur Southerland, lui dit l'infirmière d'une voix suave, tout en jetant un rapide coup d'œil autour d'elle pour s'assurer que le bureau était rangé.

— Bonjour, Grace. Pourriez-vous vérifier si les résultats d'analyse de Mme Harrison sont prêts ?

— Mais bien sûr, docteur.

Mary Southerland se saisit d'un bloc et inscrivit le nom de la patiente dont les résultats lui étaient déjà parvenus.

— Je vous remercie, Grace.

Grace se leva et se rendit au laboratoire situé au même étage. Dès qu'elle eut disparu au coin du couloir, Mary chaussa ses lunettes et, d'un air détaché, ouvrit le carnet de rendez-vous posé sur le bureau. Elle l'étudia minutieusement et découvrit ce qu'elle y cherchait : dix heures, Sarah Southerland. Dr Haddis.

Elle retira lentement ses lunettes et alla vérifier que la salle de consultation voisine était en ordre.

— Ah vous voilà ! dit Grace qui s'étonnait de ne pas la voir s'attarder à l'accueil. Henry m'a chargée de vous dire que les résultats ont déjà été communiqués à votre cabinet.

— Je vois, dit Mary avant de partir. Ah ! dites-moi, Grace. Il y a une bouteille de désinfectant qui traîne sous l'évier dans la salle de consultation. Veillez à ce qu'on la retire de là immédiatement.

— Mais bien sûr, docteur Southerland, répondit l'infirmière de sa voix la plus douce.

Sarah ne pensait pas qu'il y aurait tant de circulation à cette heure. Après avoir légèrement déjeuné, elle alla faire un tour au rayon layette d'un grand magasin et en profita pour feuilleter le livre du Dr Spock. Elle se retrouva dans sa voiture au moment de la sortie des classes.

Elle fut ralentie par les bus de ramassage scolaire d'où s'échappaient à chaque arrêt des enfants tapageurs. Elle pensa à leurs mères qui devaient les attendre à la maison.

C'est drôle comme le fait d'être enceinte change la façon de voir les choses, se dit-elle avec étonnement. Elle arrivait devant la maison où Andrew et elle avaient vécu. Elle coupa le contact. Il y avait encore peu de temps, elle était interprète à Orban ; or, voilà que maintenant elle rêvait en regardant les enfants sortir de l'école.

Elle se voyait parfaitement embrasser sa fille le matin, avant qu'elle ne parte à l'école. Mais quand elle tenta d'imaginer Andrew venant la chercher à son bureau et la prenant dans ses bras, il y eut comme un trou noir dans son esprit.

Elle sortit de la voiture, réconfortée à l'idée qu'elle attendait un bébé et que sa grossesse constituait le seul argument capable de convaincre Andrew de quitter la CIA.

Elle suivit la petite allée qui menait à la maison. C'était une construction à deux étages, peinte en deux tons de bleu, entourée d'une palissade de bois. A l'arrière, de grandes baies vitrées donnaient sur le jardin. A l'intérieur, tous les meubles étaient recouverts de housses, les volets fermés. L'eau, l'électricité, le téléphone : tout avait été coupé.

Elle sortit dans le jardin et découvrit que les chrysanthèmes étaient en fleur.

La première année, elle avait fait en sorte qu'à chaque saison le jardin soit fleuri. Aujourd'hui, il était totalement abandonné, envahi par les mauvaises herbes. Soudain, un élan de désespoir la submergea. Elle s'adossa à un arbre et ferma les yeux. Ses bonnes résolutions s'étaient enfuies. Elle se sentait si faible, si fragile tout à coup. Dieu qu'elle avait besoin de tendresse !

L'avion d'Andrew atterrit avec une heure de retard. Il regardait sa montre pour la centième fois, déprimé, à bout de nerfs. Il ne désirait qu'une chose au monde, ne plus jamais s'éloigner de Sarah.

Trop énervé pour manger quoi que ce soit, il alla dans les toilettes, égalisa sa barbe, qui était encore assez courte, puis se rafraîchit avant de retourner à son siège en soupirant.

L'hôtesse ne le quittait pas des yeux : il l'intriguait. Elle lui avait demandé par deux fois s'il désirait quelque chose. En lui adressant son plus beau sourire, il avait hoché poliment la tête. Il n'avait pas envie de parler. Quand l'avion toucha le sol de Washington, il lui sembla qu'il s'était écoulé une éternité depuis son départ.

Comme il n'avait qu'un petit sac de voyage en bandoulière, il put rapidement quitter l'aéroport et héla un taxi en un temps record. Le chauffeur tenta d'engager la conversation mais Andrew resta muet.

Finalement, après une course qui lui parut interminable, il se fit déposer devant la maison de Robert Humphries. Il n'y avait aucune lumière et la voiture n'était pas dans le garage.

Andrew se gratta pensivement la tête. Où pouvait donc bien être Sarah ? En soupirant, il demanda au chauffeur de le conduire chez Bruce.

Là aussi, il frappa trois fois à la porte sans obtenir de réponse. Mais où étaient-ils donc tous passés ? Il commençait à imaginer le pire. Finalement, il se décida à forcer la serrure de Bruce.

Quand il poussa la porte, l'appartement baignait dans une douce lumière bleutée. Pendant quelques secondes, ses instincts professionnels reprirent le dessus. On n'entendait que le léger bruissement de l'aquarium.

Il chercha à tâtons l'interrupteur et referma la porte derrière lui. Il erra de pièce en pièce avant de se décider à appeler sa mère.

— Andrew ! s'écria Bruce en décrochant.

Il baissa aussitôt la voix.

— Mais, où es-tu ?

Andrew éprouvait un immense soulagement à entendre la voix de son frère.

— Chez toi ! Mais que fais-tu chez mère ?

— Mon vieux, tu es en train de rater la soirée du siècle. Il y a ici des gens que tu n'as pas vus depuis dix ans. Mais dis-moi, comment es-tu entré dans mon appartement ?

— En forçant la serrure, répondit calmement Andrew. Tu as vu Sarah ?

— Elle est devant moi.

Andrew percevait à l'autre bout du fil la musique, le brouhaha des conversations et des éclats de rire.

— Elle est en train de repousser les avances de Pete. Tu sais, elle porte une de ces longues robes vaporeuses, dont elle a le secret. Elle a un succès fou. Mais quand es-tu arrivé ?

— A l'instant ; et je n'ai trouvé personne.

— Evidemment, tout le monde est ici. Mais au fait, Andrew, tu vas bien ?

— Bien sûr.

— Tout à fait bien ?

— Ecoute, je récupère à peine. Je suis fatigué ; la fin de ma mission a été très dure. J'ai quelqu'un à appeler. Dès que c'est fait, je vous rejoins. Où sont les clés de ta voiture ?

— Dans la cuisine. Andrew ?...

— Oui ?

Bruce s'éclaircit la voix.

— Tu sais... je n'ai pas eu le temps de te remercier là-bas, mais j'en fais encore des cauchemars la nuit. Si tu n'avais pas été là, je serais encore en prison et...

— N'y pense plus.

Andrew avait repéré les clés de Bruce. Il n'avait que faire de ses remerciements. Tout ce qu'il voulait, c'était revoir Sarah, la tenir dans ses bras, sentir la douce chaleur de son corps, son parfum enivrant.

— Ecoute, Bruce, ne dis à personne que tu m'as parlé, d'accord ?

— D'accord... A tout à l'heure.

— A tout à l'heure !

Andrew raccrocha et garda le combiné dans la main quelques instants. Il n'avait aucune envie d'appeler Wesley, mais il savait qu'il le ferait tout de même. Il jeta un regard sur son pantalon de velours et ses mocassins. Dire qu'il allait devoir se rendre à la soirée de Mary dans cette tenue ! Oh, et puis tant pis !

Il composa fébrilement le numéro de Wesley.

Rétrospectivement, Sarah se dit qu'elle aurait dû refuser l'invitation de Mary. Quand elle l'avait eue au téléphone, elle n'avait plus trouvé les mots qu'il fallait pour la remettre à sa place. Et puis Mary était la mère d'Andrew et elle pouvait bien faire quelques concessions pour lui...

Elle avait donc accepté. Ce soir-là, elle avait

veillé à être parfaite de la tête aux pieds. Elle portait une robe en mousseline pistache qui lui avait coûté une fortune mais qui lui seyait à ravir et faisait ressortir le vert de ses yeux. La robe soulignait la sveltesse de sa ligne... jamais on n'aurait pu deviner qu'elle était enceinte...

Accompagnée par son père, elle arriva en retard.

— J'ai l'impression d'être Marie Stuart le jour de son exécution, murmura Sarah en approchant de la maison des Southerland.

L'avenue Connolley était l'une des plus huppées de la ville. On y vivait dans le plus grand snobisme sans même connaître son voisin. Sur le perron de la maison trônaient de magnifiques azalées. La pierre de taille donnait à cette résidence un cachet propre aux demeures du début du siècle.

Robert éclata de rire.

— Ne t'inquiète pas, tu ne seras pas la première à subir ses foudres.

Sarah eut un petit rire nerveux, en montant les marches du perron brillamment éclairé. Arrivée en haut, elle laissa glisser son étole sur ses bras nus, puis rejeta coquettement ses cheveux en arrière.

— Comment me trouves-tu ? demanda-t-elle à son père.

— Ravissante !

— Ai-je l'air d'être enceinte ?

— Absolument pas.

Juste avant de sonner, elle fut soudain prise d'appréhension. Elle n'avait jamais assisté à une soirée chez les Southerland sans Andrew. Comme elle aurait voulu qu'il soit là !... Elle fit un signe à son père.

— Vas-y, sonne !

On entendait filtrer la musique et des éclats de rire à travers la porte. Le majordome leur ouvrit. Sarah distingua derrière lui de somptueux bouquets de fleurs décorant le hall. Elle était certaine que Mary ne devait pas être loin, parée d'une élégante robe couleur lavande, sa couleur préférée.

A quand remontait la dernière fois où elle l'avait vue ? Ce devait être longtemps avant son départ pour Orban, à une réception à l'hôpital. Son divorce venait juste d'être prononcé. Mary l'avait regardée avec un air faussement aimable comme si elle ne se rappelait plus qui elle était.

Mary fut soudain devant elle et la toisa du regard.

— Vous êtes en beauté ce soir, Sarah. Comment vous sentez-vous ?

La question ne troubla pas du tout Sarah. C'était une de ces formules toutes faites qui n'attendent pas de réponse. Pourtant Mary, comme Sarah, savait à quoi s'en tenir. La partie risquait d'être serrée.

Quand Peter s'approcha d'eux et salua Robert Humphries, Mary lui dit d'une voix suave :

— Danse avec Sarah, mon chéri. Bruce est déjà accaparé par Nancy Hathaway. Robert, il y a ici un cardiologue de Los Angeles qui meurt d'envie de faire votre connaissance. Vous serez fasciné par les nouvelles techniques qu'il utilise.

Sarah se laissa entraîner sur la piste de danse par Peter.

— Mais enfin, lui dit-elle, quand il l'enlaça d'un peu trop près, votre cour d'admiratrices ne vous suffit-elle donc pas ? Toutes les jeunes célibataires sont folles de vous !

Peter la regarda en riant. A la dérobée, il admira son décolleté plongeant.

— Vous aussi seriez folle de moi si vous n'étiez pas aussi entichée de mon frère ! Dites-moi, Sarah, que faut-il faire pour vous séduire ?

— Mon cœur n'est pas à prendre.

— Ah, je vois. Mon abominable frère vous aurait-il séduite à nouveau ?

— Vous savez très bien qu'il n'est pas aux Etats-Unis, répondit-elle, gênée, en cherchant son père du regard.

— Il paraît. Mais il y a quelque chose en vous qui me dit le contraire, ma chère. Je suis certain que vous en savez plus que vous ne voulez le dire.

Le salon des Southerland était une immense pièce en pierre apparente, au plafond plaqué de chêne sombre. Au premier, une grande mezzanine dominait la pièce baignée d'une douce lumière. De grands feux de cheminée créaient une atmosphère raffinée et chaleureuse.

Comme ils dansaient au bord de la piste, Sarah fit signe au maître d'hôtel qui lui tendit une coupe de champagne. Soudain elle se figea. Elle n'en croyait pas ses yeux. Que diable pouvait bien faire Wesley Durant chez Mary ?

— Sarah ?

Elle sourit à Peter.

— Je suis désolée. Je viens d'apercevoir quelqu'un qui...

Elle ne savait pas que Wesley Durant était une relation de Mary. A moins que... Andrew !... Il fallait absolument qu'elle parle à Wesley. Elle embrassa rapidement Peter sur la joue.

— Merci pour cette danse. Je dois... Je veux dire, je suis désolée... Je... Je reviens tout de suite.

Peter, stupéfait, s'apprêtait à la suivre, quand une ravissante blonde l'aborda et lui dit d'une voix enjôleuse :

— Puis-je prendre la suite ?

Peter la regarda, jeta un coup d'œil à Sarah qui se frayait un chemin entre les invités. Il haussa les épaules et lui sourit.

— Eh bien, allons-y, lui dit-il en l'enlaçant.

202

En entrant chez sa mère par la porte de la cuisine, Andrew se trouva nez à nez avec Robert Humphries. Il se sentit rougir malgré lui.

C'était peut-être parce qu'il ne l'avait pas vu depuis si longtemps ; à moins que ce ne soit parce qu'il avait le sentiment que le destin le prenait à bras-le-corps. Andrew devinait que Robert savait tout de ce qui s'était passé entre Sarah et lui à Orban.

— Docteur, dit-il, essoufflé, en refermant la porte derrière lui.

Robert était en train de laisser des instructions à ses infirmières sur le répondeur de l'hôpital.

— Andrew, quelle bonne surprise ! Attendez... je suis à vous dans une minute.

Robert acheva son message et raccrocha.

— Eh bien, Andrew, vous avez l'air en pleine forme.

— Vous trouvez ? Je suppose que vous savez...

Andrew lui sourit, déchiré entre son envie de se montrer cordial et son désir de retrouver Sarah le plus tôt possible.

Robert acquiesça.

— Merci d'avoir aidé Sarah à quitter Orban. Sans vous, Dieu sait ce qui aurait pu lui arriver.

— Ne me remerciez pas.

La table de la cuisine croulait sous les victuailles. Andrew prit un canapé et le porta à sa bouche.

— Monsieur, dit-il à Robert, je ne sais pas exactement ce que vous a dit Sarah, je... je ne l'ai pas encore vue. J'arrive tout juste de l'aéroport. Je n'ai même pas eu le temps de me changer.

Andrew jeta un regard impatient vers le salon où la fête battait son plein.

Robert s'éclaircit la gorge.

— Allez donc rejoindre Sarah.

— Merci.

— Andrew ?

Sur le pas de la porte, Andrew se retourna vivement. Robert paraissait soucieux.

— Andrew, je voulais seulement vous dire que... enfin, Sarah est ce que je possède de plus cher au monde.

— Je le sais, Robert.

— Avant que vous ne la voyiez, il faut que vous sachiez... Ce que j'essaie de vous dire, c'est qu'il ne suffit pas d'avoir un enfant pour être un bon père. J'ai moi-même commis des erreurs avec Sarah. Jusqu'à maintenant je ne m'étais jamais mêlé de sa vie privée.

Il prit une profonde inspiration.

— Mais je vais maintenant faire quelque chose que je n'ai jamais fait.

Andrew le regardait avec anxiété.

— J'ai horreur d'intervenir dans la vie des autres. Mais là, il s'agit de ma fille. Elle porte votre enfant, Andrew. Je voulais que vous le sachiez. Vous voyez, pour une fois je me mêle de ce qui ne me regarde pas...

Andrew s'appuya sur le rebord de la table. Il eut un petit rire de surprise joyeux. Il se passa la main sur le menton et sourit avec attendrissement en imaginant Sarah le jour de leur mariage, le ventre doucement arrondi sous sa robe blanche. Tout à coup, il se rendit compte de l'air inquiet de Robert.

— Pourquoi me regardez-vous ainsi ?

Andrew lui lança un regard perçant.

— Allons, Robert, parlez.

— Voilà, c'est que... je ne suis pas certain qu'elle ose vous le dire, Andrew. Après ce qui s'est passé la première fois, vous comprenez...

Andrew fut soudain conscient de l'urgence de la

situation. Il fallait qu'il voie tout de suite la mère de son enfant et qu'il la rassure sur ses intentions.

— Tout ira bien, Robert, je vous le promets.

Andrew laissa Robert plongé dans ses réflexions. Celui-ci laissa échapper un profond soupir. Il venait d'agir contre ses propres principes, mais, pour la première fois de sa vie, il se sentait vraiment proche de sa fille.

Wesley Durant ne parut pas du tout surpris de voir Sarah s'approcher de lui. Sarah eut même l'impression qu'il l'attendait. Il lui fit signe de le retrouver un peu plus loin dans le salon, à l'écart de la foule.

— Quel plaisir de vous voir, madame Southerland ! Voulez-vous boire quelque chose ? Du champagne ?...

Sarah lui dit d'une voix cinglante :

— Nous ne sommes pas là pour faire des mondanités. Où est-il ? Où est Andrew ?

Wesley entraîna Sarah vers le fond du salon. Il jeta un regard autour d'eux avant de passer dans une pièce tout en longueur où trônait une grande table de chêne flanquée de fauteuils.

— Il n'est pas dans mes intentions de vous faire perdre votre temps.

— Je n'ai pas envie de discuter. Dites-moi seulement où est Andrew, fit-elle d'un ton qui trahissait toute la méfiance qu'il lui inspirait.

Il se dirigea vers la cheminée où brûlait un feu.

— Je ne vous importunerai pas longtemps, annonça-t-il, non sans gêne.

— Savez-vous quelque chose au sujet d'Andrew ?

Une rancœur tenace refluait en elle.

— Il sera là dans quelques instants ; en fait nous avons rendez-vous ici. Son avion a été légèrement retardé, autrement il vous...

— Dans ce cas, je vais l'attendre dans le salon.

Elle allait ressortir de la pièce, quand Wesley lui dit à brûle-pourpoint :

— Avant que vous ne partiez, laissez-moi vous parler...

— Je vous écoute.

— Mais asseyez-vous donc... Cette pièce est très agréable...

— Je n'y tiens pas, merci.

— Vous êtes on ne peut plus directe, voilà qui va me faciliter la tâche. Andrew est très amoureux de vous, vous le savez.

— C'est réciproque, monsieur Durant.

— Sarah, Andrew est un agent exceptionnel et je ne vous ai jamais caché que je souhaite que votre mari continue de travailler pour nous. Enfin... ex-mari, je m'y perds. Quoi qu'il en soit, vous m'avez compris.

— Que cherchez-vous à me dire, monsieur Durant ?

— Que je sais parfaitement ce que vous attendez de lui. Mais avant que vous ne décidiez quoi que ce soit, il vaudrait mieux que vous sachiez quel genre d'homme est devenu Andrew ces dernières années.

— Je pense le connaître mieux que vous, monsieur.

Wesley lui fit signe de se taire.

— Il n'est plus l'homme que vous avez épousé, Sarah. Il a ce métier dans le sang. Oh, bien sûr, si vous le lui demandez, il quittera la CIA, il reprendra ses études de médecine et sera un parfait père de famille. Mais ce n'est pas vraiment ce qu'il souhaite. Depuis le début, Andrew est déchiré entre vous et son travail. Alors, si vous l'aimez vraiment, Sarah, j'espère que votre cœur dictera votre conduite.

Sarah se sentait profondément choquée par la

pression que cet homme cherchait à exercer sur elle.

— Avez-vous déjà été amoureux, monsieur Durant, lâcha-t-elle d'un ton mordant. Avez-vous des enfants ? Savez-vous faire autre chose que manipuler les gens ? Est-ce là tout ce qui vous motive dans la vie ? dit-elle en éclatant en sanglots.

Wesley s'approcha d'elle et la prit par les épaules. Il aurait sincèrement voulu lui proposer une solution qui résoudrait tous ses problèmes.

— Tout va s'arranger, madame Southerland, lui dit-il gentiment. Je suis désolé.

Il lui tendit son mouchoir pour qu'elle essuie ses larmes. Soudain, la pièce s'illumina.

Instinctivement, Wesley porta la main à son revolver. Sarah regarda vers la porte et découvrit Mary Southerland.

— Sarah, dit Mary Southerland d'une voix glaciale, quand je vous ai vue à l'hôpital, je me suis bien doutée qu'il y avait eu des changements dans votre vie...

Chapitre 12

Quand elle vit le visage triomphant de Mary, Sarah se dit que cette confrontation était l'aboutissement logique de leur première rencontre à l'église Saint-Michaël.

Si Mary l'avait vue à l'hôpital, elle savait donc qu'elle était enceinte. L'ayant toujours considérée comme une intrigante, elle devait croire que Wesley était le père de son enfant.

Sarah s'était toujours attendue à ce que cette mise au point ait lieu un jour ou l'autre. Soudain, elle éprouva un profond ressentiment pour Andrew, pour Bruce, et pour tous les enfants de Mary qui s'étaient toujours laissé dominer par leur mère.

Celle-ci vint se placer devant la cheminée sous son propre portrait.

— Vous, monsieur, dit-elle en pointant un doigt accusateur vers Wesley, je ne vous connais pas, vous n'avez rien à faire ici. Et d'abord comment êtes-vous entré chez moi ?

Wesley lui adressa son plus beau sourire.

— C'est vrai, je vous dois des excuses.

— Vous avez une liaison avec cette femme sous mon propre toit ?

— Je suis là pour aider Mme Southerland. Je suis chargé de veiller sur sa sécurité.

Il rangea son mouchoir dans sa poche et, désignant Sarah, déclara :

— Nous avions à parler.

— Visiblement vous faisiez plus que parler, monsieur, répondit Mary d'un ton insultant.

— Pardon ?

— Vous et elle, êtes manifestement de la même race.

Un silence pesant s'ensuivit.

— Mary, dit Sarah d'un ton très digne, je suis votre invitée, et cette accusation vous déshonore autant que moi.

Depuis la mort de son mari, personne n'avait osé tenir tête à Mary. Elle eut un petit rire qui sonna faux.

— Mais ma chère, vous auriez dû réfléchir à votre conduite avant de revenir parmi nous.

Ainsi, se dit Sarah avec désespoir, on se retrouve toujours au même point. Si elle fléchissait maintenant devant Mary, la situation serait désormais plus invivable encore que par le passé. Elle porta la main à son collier comme s'il pouvait la protéger et se sentit bien plus désarmée que devant Jassim.

— Puisque c'est ainsi, dit Sarah, je vais vous faire les excuses que vous attendez. Mais je vous prie désormais de ne plus jamais vous mêler de mes affaires ; laissez-moi vivre en paix.

Wesley sursauta. Il passa nerveusement la main sur le revers de son veston. On n'entendait plus que le crépitement des bûches dans la cheminée.

— Vous n'avez plus droit à la parole après ce que vous avez fait ! répliqua Mary.

Sarah se força à garder la tête haute. Si elle voulait faire bonne figure, il fallait qu'elle soit d'une extrême politesse.

— Et qu'ai-je donc fait, madame ?

— Je ne parle pas du fait d'avoir invité un homme sous mon toit sans même me consulter. Non, je vous reproche de vous être introduite dans

ma famille et d'avoir gâché la vie d'un de mes fils...
Il m'a fallu des années pour bâtir l'avenir de mes
enfants, leur offrir le meilleur. Vous n'aviez pas le
droit d'être aussi inconséquente !

Mary avait abandonné tout semblant d'hospita-
lité. Un rictus de colère tordait sa bouche. Dans son
emportement, elle s'était décoiffée. Elle semblait
tout à coup très âgée et vulnérable.

Sarah se sentit soudain très loin, comme si elle
observait la scène sans y participer. Il fallait qu'elle
parle maintenant, avant qu'il ne soit trop tard.

— Que vous m'ayez fait du mal m'importe peu.
Ce qui compte, c'est qu'à travers moi vous avez
atteint votre fils. Car ne vous y trompez pas,
Andrew m'aime, madame... Rien de ce que vous
pourrez dire ou faire ne se limitera jamais à vous et
à moi. Les mots que vous prononcez à cet instant
même sont aussi un outrage pour Andrew.

Essayer de rentrer dans les bonnes grâces de
Mary était aussi vain que de chercher à raisonner
un homme ivre. Comment l'amour pouvait-il
triompher d'une haine pareille ? Comment la vérité
pouvait-elle venir à bout d'un pareil mensonge ?
Tout était faussé.

— Et vous avez tort, madame, ajouta Sarah.
Votre fils a pour moi beaucoup plus d'estime que
vous ne pensez.

Le rire hystérique, insultant, de Mary éclata,
résonnant dans toute la pièce.

— Donnez-moi une seule raison de vous croire,
ma chère enfant.

Ses yeux noisette chargés de mépris lançaient des
éclairs.

Il y eut un mouvement du côté de la porte. Mary
et Wesley se retournèrent tous deux, mais Sarah,
tout à son chagrin, ne bougea pas. Elle entendit la

canne de Bruce marteler le parquet de plusieurs coups.

— Que se passe-t-il ici ? s'étonna Bruce. Mère, ne pourriez-vous pas baisser d'un ton ?

— Qu'est-ce que toute cette histoire ? reprit la voix cinglante de Peter qui entrait sur les talons de son frère.

— C'est précisément ce que je demandais, grommela Bruce.

Que vont-ils donc penser de moi, se dit Sarah. Elle avait tant espéré que tout se passe bien, qu'elle et l'enfant qu'elle portait soient acceptés par la famille Southerland. Elle pensait que, pour qu'Andrew soit pleinement heureux, il fallait qu'il puisse être fier de sa femme et de leur bébé, ne serait-ce qu'au regard de sa famille. Et voilà que Mary, par son aveuglement et son acharnement contre elle, allait peut-être tout gâcher !...

Mary se ressaisit très vite et se recomposa un visage. Comme par enchantement, les yeux qui lançaient des éclairs, le rictus de colère qui lui tordait les lèvres, firent place à son expression habituelle de reine mère, posée et froide. Elle haussa les épaules avec une négligence très étudiée, puis, se tournant vers son fils, elle expliqua d'un ton suave :

— Oh ! nous discutions. Il se trouve que Sarah a manqué de tact.

— Manqué de tact ?

Bruce les regarda l'une après l'autre. Il semblait outré. Il s'avança vers elle, d'un pas saccadé. Comme s'il l'avait giflée, Mary eut un mouvement de recul. Elle sentait son autorité lui échapper. Elle perdait pied.

— Manqué de tact, oui ! répéta-t-elle d'un ton moins assuré.

— De quoi parlez-vous, mère ? questionna Peter d'une voix dure.

Mary était dépassée par ses propres accusations. Elle secoua la tête.

— Vous tenez vraiment à le savoir ? Moi-même j'ai eu peine à le croire... Vous...

— S'il en est ainsi, mère, dit une voix grave venant de la porte, pourquoi l'avez-vous donc affirmé avec tant d'assurance ?

Au milieu de cette effervescence, personne n'avait remarqué Andrew qui, dissimulé sous la voûte, avait tout entendu. Il referma soigneusement la porte derrière lui et, d'un pas décidé, vint vers eux, blême de colère, la mâchoire crispée. On lisait dans ses yeux la détermination implacable d'un homme prêt à tout pour que justice soit faite.

Sarah laissa échapper un petit cri de joie. Mary pâlit, comme si elle venait de voir un fantôme.

— Andrew, murmura Mary, je ne savais pas que tu étais là...

— Je m'en suis rendu compte, répondit-il.

Sans accorder un regard à quiconque, il alla droit vers Sarah et la prit amoureusement dans ses bras.

— Tout va bien, lui chuchota-t-il à l'oreille en lui caressant les cheveux. Personne ne te fera plus de mal...

Sarah était trop émue pour parler. Mais quand elle vit Andrew se tourner vers sa famille pour mettre les choses au point, elle l'attrapa par la manche.

— S'il te plaît, restons-en là. Cela n'a pas vraiment d'importance.

— Pas d'importance ? Sache que tout ce qui te concerne de près ou de loin a de l'importance pour moi. Maintenant que nous sommes tous réunis, dites-moi donc, mère, de quoi vous accusez Sarah ?

— Andrew, mon chéri ! dit Mary d'une voix

suppliante. Essaie de comprendre, tu devrais te mettre un peu à ma place !... Mon rôle...

— Votre rôle serait plutôt d'être avisée, douce, bonne et aimante !

Sarah avait déjà vu Andrew sous pression, mais jamais dans un état pareil. Mary, livide, était comme clouée sur place. Son fils se rebellait ! Qui aurait cru cela d'Andrew toujours prêt à rire et qui ne semblait jamais rien prendre au sérieux ! Pour la première fois de sa vie, Mary Southerland comprit qu'elle avait dépassé les bornes.

— Ne me dis pas que j'ai été une mauvaise mère ! De toute façon, tu ne t'es jamais beaucoup soucié de moi... Quant à Sarah ne viens pas prétendre qu'elle a été pour toi un sujet de préoccupation ces dernières années...

— Vous vous trompez lourdement, mère. J'aime Sarah, dit-il en la prenant dans ses bras, mais vous n'avez jamais voulu l'admettre.

Bruce, qui se sentait depuis leur aventure d'Orban une dette envers son frère, eut soudain envie de réhabiliter définitivement Andrew et de révéler quelles étaient ses véritables activités et comment il lui avait sauvé la vie. Se tournant vers Andrew et Sarah, il leur dit d'un ton pressant :

— Mais enfin, quand allez-vous vous décider à parler ?

— Oh, ce à quoi tu fais allusion est maintenant du passé pour moi ! répondit Andrew.

Il serra un peu plus fort Sarah contre lui. La femme qu'il aimait le sauverait de cet univers de violence impitoyable qu'il avait connu ces dernières années.

— Quels sont ces sous-entendus ? demanda Mary.

Wesley Durant, voyant que ses projets concernant Andrew risquaient fort d'être compromis par le nouvel état d'esprit de celui-ci, fit signe à Bruce de se taire.

Ignorant leur entourage, Andrew dit doucement à Sarah :

— Je t'aime, ma chérie. Veux-tu m'épouser ?

Elle eut un sourire radieux.

— Le plus tôt possible, mon amour.

Mary commençait à s'impatienter. Elle jouait nerveusement avec sa rivière de diamants. D'une voix excédée, elle répéta :

— Mais enfin, Bruce, tu vas te décider à parler, oui ou non ?

— Andrew est un agent de la CIA. Voilà ! Tu es contente ? s'écria Bruce.

D'une voix calme, il ajouta :

— Cela fait des années qu'il travaille pour eux... Sans lui, je serais aujourd'hui en train de croupir dans une prison d'Orban, ou peut-être même déjà mort ! Il m'a sauvé la vie ! Vous voyez, mère, vous ne connaissez pas Andrew, vous ne le connaissez pas du tout !...

Une profonde stupéfaction se peignit sur tous les visages. De surprise, Mary eut un geste maladroit : ses mains se crispèrent sur son collier. La rivière de diamants se rompit et les pierres roulèrent à ses pieds sur le sol.

Sarah aurait pu savourer sa vengeance. Au lieu de quoi, quittant les bras d'Andrew, elle s'avança en toute humilité vers Mary. Elle se baissa et ramassa les pierres précieuses. Prenant la main de sa belle-mère dans la sienne, elle y déposa les diamants. Les mots étaient inutiles, les deux femmes s'étaient comprises.

Sarah retourna auprès de l'homme qui allait l'épouser.

— Rentrons chez nous. Maintenant tout est fini.

Dès le lendemain matin, Andrew alla acheter un arbre. C'était un geste qu'il avait tenu à faire tout seul pour concrétiser son amour pour Sarah et la nouvelle vie qui s'ouvrait à eux.

La veille, ils avaient insisté pour revenir tout de suite dans leur ancienne maison bien qu'elle n'ait pas été rouverte depuis trois ans. Andrew avait fait un feu de bois dans la cheminée. Ils avaient bu du vin et s'étaient aimés à la lueur des bougies. Mais Sarah ne lui avait toujours pas parlé du bébé.

Au réveil, le lendemain matin, Andrew avait éprouvé un petit pincement au cœur en y repensant. Il sentait la douce chaleur du corps de Sarah, pelotonnée contre son dos. Il se retourna, contempla ses seins charmants. Elle murmura quelques mots indistincts, puis tendit les lèvres en quête d'un baiser. Quand il nicha sa tête contre la peau soyeuse de sa poitrine, elle glissa ses bras autour de son cou.

Ce geste de tendresse conjugale les ravissait tout autant que leurs étreintes passionnées de la nuit.

Profondément heureuse, Sarah enserra les jambes d'Andrew entre les siennes.

— Ne te réveille surtout pas, lui dit celui-ci d'une voix rauque.

Il l'empêcha d'ouvrir les yeux.

— Fais comme si c'était un rêve.

Les yeux fermés, elle suivait du bout des doigts la ligne ferme des épaules d'Andrew.

— Pourquoi nous contenterions-nous de rêver ?

Andrew lui sourit d'un air complice.

Audacieuses, les mains de Sarah parcoururent fébrilement le torse musclé d'Andrew puis s'aventurèrent sur son ventre...

Fou de désir, Andrew lui rendit ses caresses. Quand Sarah gémit de volupté sous ses doigts experts, il s'unit à elle avec toute la tendresse du monde.

Apaisés, ils restèrent un long moment blottis l'un contre l'autre à parler dans la lumière dorée du matin qui filtrait à travers les stores.

— Tu sais, dit-elle tout à coup, je n'ai jamais cessé d'être ta femme.

Andrew était en train de planter l'arbre, sous l'œil attendri de Sarah, quand Wesley poussa la grille du jardin.

— Sarah, voilà notre vieil ami Wesley! dit-il en la prenant par la taille.

Il désigna la maison et le jardin.

— Alors, qu'en pensez-vous, Wesley?

— Cet endroit est tout à fait comme vous me l'aviez décrit.

— Si vous deviez planter un arbre, Wesley, où le mettriez-vous?

— Ma foi, je n'en sais trop rien. Dans un endroit protégé du vent, je suppose. Mais pourquoi me demandez-vous cela?

— Avez-vous déjà vu un érable en automne, Wesley?

— À vrai dire, je ne sais pas.

— C'est bien là le problème, Wesley. Un jour, on se réveille, on a cinquante ans et on n'a pas vu passer sa vie. On se rend compte que l'on ne sait même pas à quoi ressemble un érable en automne.

— Au fait, Andrew, avez-vous pris votre décision?

— Je viens pourtant d'être assez clair.

— Et vous, qu'en pensez-vous, madame?

Il avait toujours su que c'était à elle qu'appartiendrait la décision finale. De son côté, elle avait réfléchi à ce que lui avait dit Wesley chez Mary.

La mort dans l'âme, elle s'adressa à Andrew.

— Tu sais, si tu continues à travailler pour la CIA, je ne cesserai pas de t'aimer pour autant.

Wesley poussa un soupir de soulagement.

Andrew était profondément ému par l'esprit de sacrifice de Sarah mais il estima qu'il lui avait déjà fait assez de mal.

— Andrew, votre femme est quelqu'un d'exceptionnel. Je le pense sincèrement.

Après un regard intense à Sarah, il coupa court aux flatteries de Wesley.

— J'ai déjà fait tout ce que je pouvais pour la CIA, Wesley.

Il se retourna vers Sarah et son visage s'éclaira.

— En revanche, j'ai négligé ce que j'aimais le plus au monde. Alors s'il n'est pas trop tard...

Wesley tenta de protester mais ce fut peine perdue.

— Nous réglerons les derniers détails de ma démission plus tard, Wesley, dit-il en le raccompagnant à la grille. Pour l'heure, je voudrais me consacrer à ma femme...

Quand se déciderait-elle enfin à lui parler du bébé ?

... Sarah esquissa un sourire mais s'abstint de tout commentaire. Elle ne voulait pas prendre le risque de gâcher cet instant de bonheur total où, pour la première fois de sa vie, elle possédait tout ce qu'elle désirait. Elle enlaça Andrew et, après un dernier regard à Wesley, ils retournèrent main dans la main vers l'arbre, symbole de tous leurs espoirs.

Ce livre de la *Série Harmonie* vous a plu. Découvrez les autres séries Duo qui vous enchanteront.

Coup de foudre, une série pleine d'action, d'émotion et de sensualité, vous fera vivre les plus étonnantes surprises de l'amour.

Série Coup de foudre : 4 nouveaux titres par mois.

Désir, la série haute passion, vous propose l'histoire d'une rencontre extraordinaire entre deux êtres brûlants d'amour et de sensualité. *Désir* vous fait vivre l'inoubliable.

Série Désir : 4 nouveaux titres par mois.

Amour vous raconte le destin de couples exceptionnels, unis par un amour profond et déchirés par de soudaines tempêtes. *Amour* vous passionnera, *Amour* vous étonnera.

Série Amour : 2 nouveaux titres par mois.

Romance, c'est la série tendre, la série du rêve et du merveilleux. C'est l'émotion, les paysages magnifiques, les sentiments troublants. *Romance,* c'est un moment de bonheur.

Série Romance : 4 nouveaux titres par mois.

Série Harmonie : 4 nouveaux titres par mois.

JENNIFER WEST

Les nuits
de Vénus
Une étoile au cœur

Que fait Jennifer Winters à quatre
heures du matin devant les grilles
d'un studio hollywoodien noyé dans le
brouillard?

En quête d'un reportage à sensation,
elle attend l'apparition d'une
inaccessible star.

Mais la vedette n'arrive pas seule
et l'inconnu qui conduit sa Cadillac
a bien du charme...

Jennifer s'apercevra très vite qu'à
cette grande séduction s'ajoute plus
d'un mystère...

Série Harmonie

ELIZABETH LOWELL

Une rose rouge pour un ange

Une île pour deux

Il refusait l'amour et se comportait vis-à-vis des femmes comme un oiseau de proie.

Pourtant, lorsque la blonde Angelina rencontre Miles Hawkins, elle devine chez ce bel homme au regard dur des trésors de tendresse.

Avec, pour complice, la magie des brumes mauves sur l'île de Vancouver, parviendra-t-elle à arracher Miles au passé qui le ronge?

Duo *Série Harmonie*

ERIN ST. CLAIRE

Le cœur
en fête
Autant en emporte le Mississippi...

Adolescents, ils s'étaient aimés
dans la chaleur moite des étés
en Louisiane.

Quand, douze ans plus tard, Philip
et Caroline se retrouvent, ils portent
le même nom. Ce qui, loin de les rapprocher,
semble les séparer à jamais...

Mais dans leur mémoire reste gravé le
souvenir ardent d'une merveilleuse complicité.

Trop longtemps victimes d'un homme diabolique,
blessés au plus profond d'eux-mêmes,
oseront-ils conjurer un impitoyable destin ?

Duo *Série Harmonie*

Ce mois-ci

Duo Série Coup de foudre

17 **Rêve de star** LISA ST. JOHN

18 **Une passion tendre et sauvage** JENNIFER DALE

19 **L'inconnu de l'étang** FRANCINE SHORE

20 **As-tu peur de m'aimer?** ELLIE WINSLOW

Duo Série Désir

137 **Un regard d'océan** GINA CAIMI

138 **Soleils d'automne** NANCY JOHN

139 **La chanson de Venise** KATHRYN MALLORY

140 **Passion des nuits sauvages** STEPHANIE JAMES

Duo Série Amour

43 **Un amour à trois temps** BETTY LAND

44 **Malgré toi, malgré moi** DELANEY DEVERS

Duo Série Pays lointains

1 **L'enchantement d'Athènes** BRITTANY YOUNG

2 **Sortilèges sur le Nil** TRACY SINCLAIR

Achevé d'imprimer sur les presses de l'Imprimerie Bussière
à Saint-Amand-Montrond (Cher)
le 20 août 1985. ISBN : 2-277-83073-9. ISSN : 0763-5915
Nº 1158. Dépôt légal : août 1985. Imprimé en France

Collections Duo
27, rue Cassette   75006 Paris
diffusion France et étranger : Flammarion